2025年の衝撃 上

The shock and Impact of 2025

大崩壊は80年ごとにやってくる！

浅井 隆

第二海援隊

プロローグ

歴史はまったく同じようには繰り返さないが、
似たパターンをともなって繰り返す。

（マーク・トウェイン〈アメリカの著作家〉）

二〇二五年は〝恐るべき年〟

この世の中には、〝不思議な符合《ふごう》〟というものが存在する。近代日本の四〇年周期（または八〇年周期）などは、その最《さい》たるものだ。

四～五ページの図を見ていただきたい。日本は幕末の大混乱から四〇年間、それまで産業がほとんどなかった国が、世界一の陸軍大国・ロシアに勝つまでに大きく飛躍した。坂道を駆け上がって行くような、急上昇の四〇年である。

しかし、日露戦争勝利の一九〇五年をピークに四〇年間下降を続け、その間、関東大震災、昭和恐慌、軍部によるテロ、日中戦争と悲劇が続き、ついにアメリカ相手の太平洋戦争に手を出してしまい、一九四五年の敗戦へと突き進んで行く。

そしてそこから四〇年、焼け野原から奇跡の復興を遂げ、世界一の経済大国へとのし上がって行った。その間、朝鮮戦争による特需、東京オリンピック、

パターンで動いている

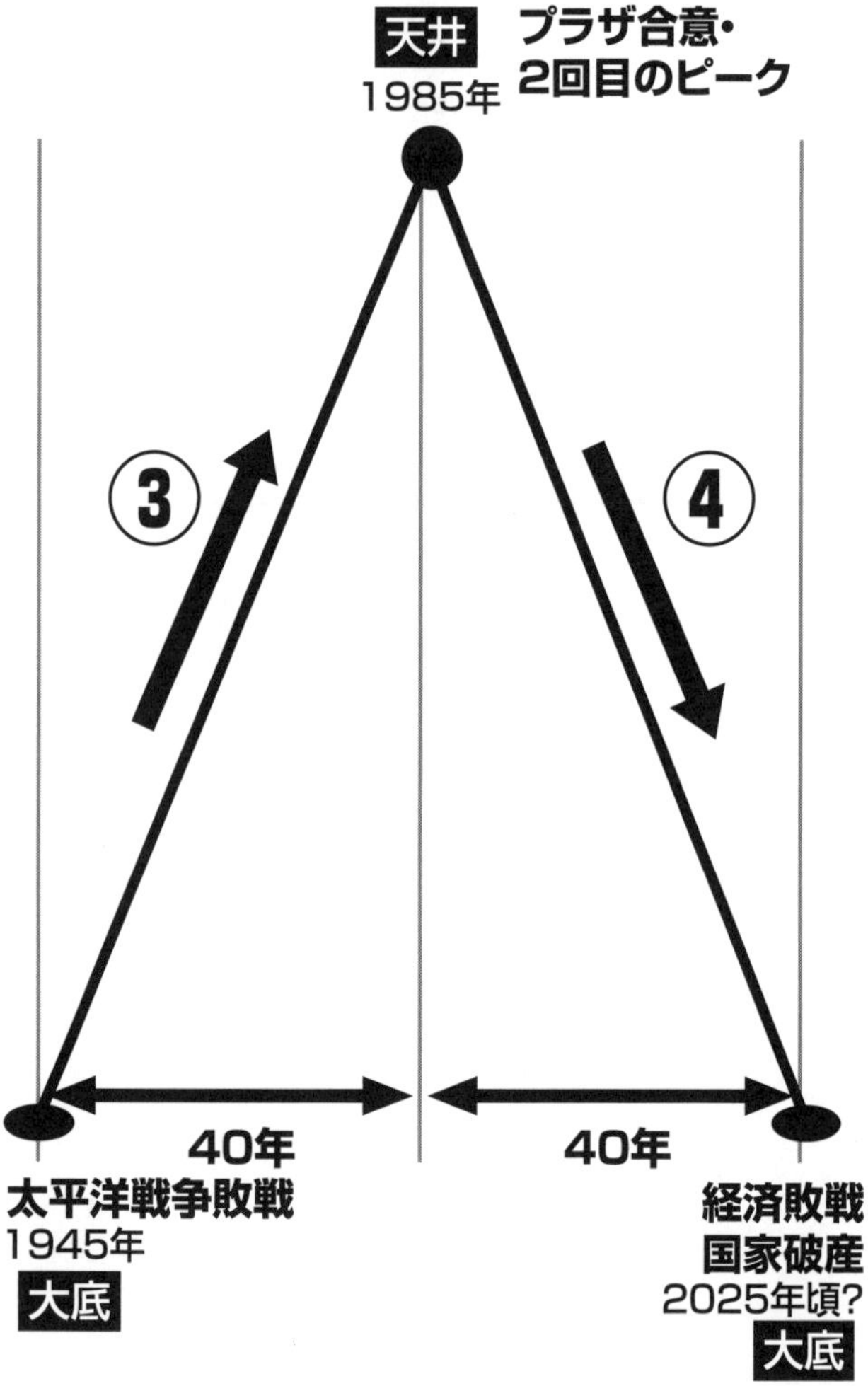

天井
1985年
プラザ合意・
2回目のピーク
③
④
40年
40年
太平洋戦争敗戦
1945年
大底
経済敗戦
国家破産
2025年頃?
大底

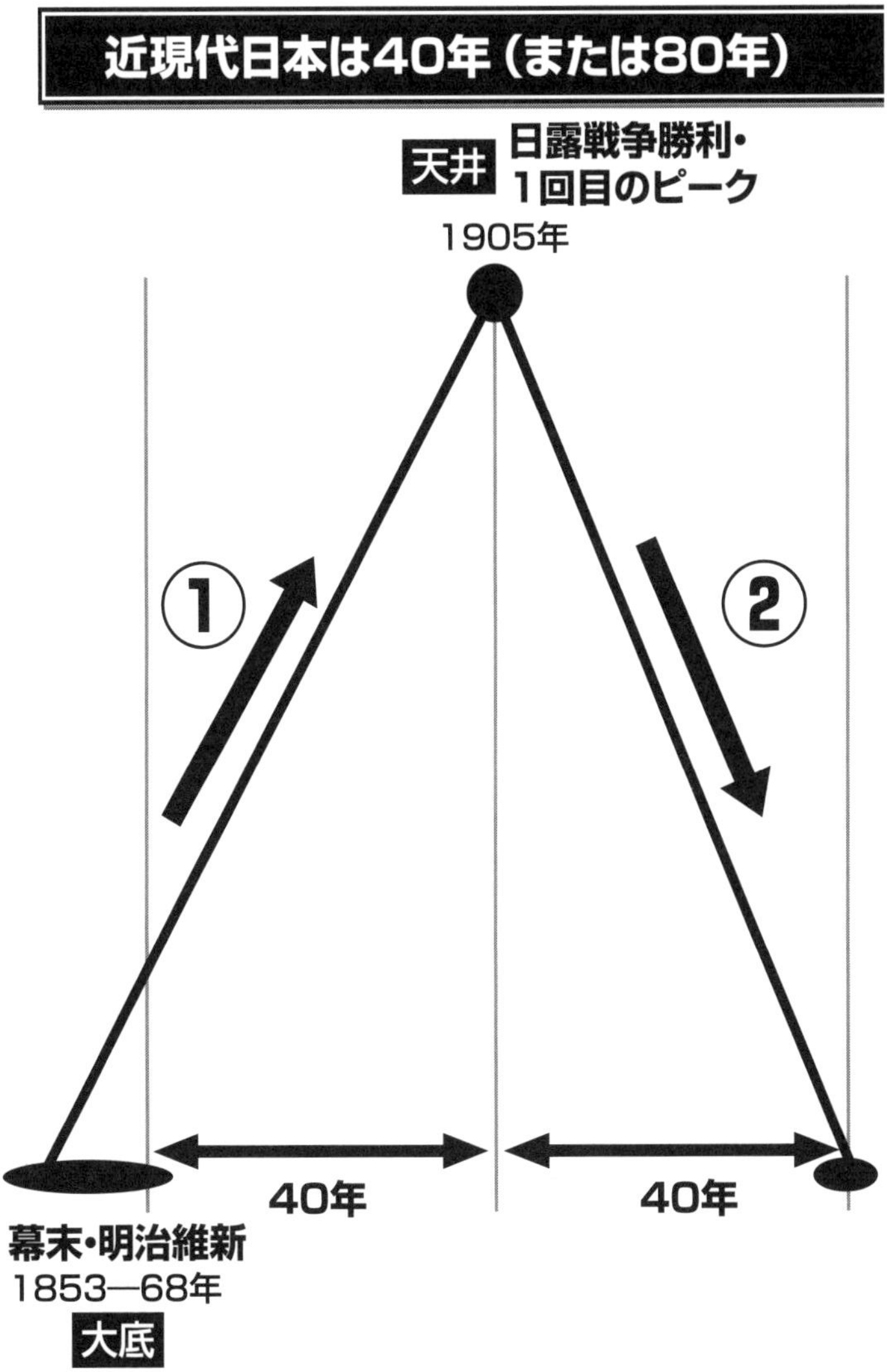
近現代日本は40年（または80年）
天井
日露戦争勝利・
1回目のピーク
1905年
①
②
40年
40年
幕末・明治維新
1853—68年
大底

高度成長と続き、一瞬、アメリカと肩を並べるまでに飛躍した。そのピークは、株価が天井を打った一九八九年ではなく、プラザ合意のあった一九八五年と私は見ている。その後の一九八六年から一九九〇年のバブルは、成長ではなくその余熱《よねつ》と言ってよい。そして、それ以降日本経済は低迷を続け、多くの産業が衰退し、国の借金のみが増え、日本人の心も荒廃した。

そして一九八五年の四〇年後と言うと、もうすぐやってくる二〇二五年だ。この二〇二五年前後に、日本は〝リセットの時〟を迎えると私は考えている。別の言い方をすれば、体制も通貨も財産も消えて失くなる「ガラガラポン」だ。よく言えばシュンペーターの言う「創造的破壊」、悪く言えば個人の財産が失われる「徳政令のオンパレード」ということになる。

どちらにしても、無限に借金して何とか帳尻《ちょうじり》を合わせようとする今の政治家（それを支えているのは国民の民意）のやり方・体質は、〝もうこれ以上持続不可能〟と言ってよい。私たち国民の側から言うと、個人金融資産をもって政府の借金と相殺するという、「清算」の時が刻一刻と近付いているのだ。

ただ、そのためにはやはりキッカケが必要だろう。言うなれば、最後のトドメだ。それが「台湾有事」なのか、「巨大天災」（たとえば東南海大地震と津波）なのかはわからないが、「悪い時には悪いことが重なる」の格言のごとく、私たちの度肝《どぎも》を抜くような事態がやってくるに違いない。

その直後には、「株価大暴落」と「超円安」がこの日本を襲い、その混乱の後を追うようにして「預金封鎖」と「国家破産」がやってくるだろう。しかも、そのドサクサは五年から一〇年も続くことだろう。その焼け跡の中から、その後の四〇年におよぶ大復興の槌音《つちおと》が聞こえてくるはずだ。

いずれにせよ、二〇二五年～二〇三五年は〝恐るべき大変動期〟として後世から記憶されるに違いない。本書は、その大惨事にどう立ち向かい、どう生き残るかを伝授するためのものである。熟読されて、ぜひ参考にしていただきたい。

二〇二三年一〇月吉日

浅井　隆

2025年の衝撃〈上〉———— 目次

第三章　台湾有事と北朝鮮暴発

第四章 驚異の四〇年パターンが日本の運命を決める

第一章　日本の財政は破綻寸前

借金が大きすぎると問題なのは、もっと借金をして解決しようとすることだ。
まるで、火でもって火を消そうとするようなものだ。

（トーマス・セドラチェク〈チェコ共和国の経済学者〉）

日本の債務は「時限爆弾」だ

日本の財政危機は、タイマーはセットされているが、残り時間が表示されない時限爆弾のようなものだ。政治家と国民が共にまったく財政再建に関心を示さない現状では、財政危機はいつか必ず訪れる。

著名な経済学者である神野直彦氏は、かつて自身の著書『財政学』においてシュンペーターの『租税国家の危機』を解釈した。この神野氏は、ドイツ財政学を継承し、シュンペーターの財政社会学を発展させようとしている。氏はシュンペーターの『租税国家の危機』を指して、これは現代における財政危機についての適切な説明であるとしている。シュンペーターもその本の中で社会の転換期、つまり「現存の制度が崩壊し始め、新たな制度が生まれる時」には「いつも財政制度が危機に陥る」と指摘している。

まさに、今の日本がそうであろう。私は、日本という国家は抗《あらが》い難い水準の制度疲労に達していると考えている。その最も顕著な兆候こそが政府の懐事情（財政）で、言わずもがな極めて危機的なレベルだ。率直に言って、崩壊は近い。

では、その時期はいつか。詳しくは第四章で触れるが、明治維新すなわち日本が近代化して以降の歴史には明確なまでに「四〇年パターン（周期）」（四～五ページの図参照）なるものが確認できる。これを基にすると、前回の頂点（ピーク）を付けた一九八五年から四〇年後の二〇二五年前後には、特段の注意が必要だ。この前後で〝戦後の日本〟というシステムは崩壊する可能性がある。

その〝きっかけ〟となりそうなイベントを挙げれば、キリがない。一つ目は世界的な「インフレ」だ。インフレは金利上昇を促《うなが》すため、日本の財政危機を加速化させる恐れが大いにある。

二つ目は「天災」だ。この詳細は第二章で述べるが、一九九五年の「阪神・淡路大震災」と二〇一一年の「東日本大震災」を経て、日本がおよそ一〇〇〇年振りに「大地変動の時代」に突入した、との指摘が方々《ほうぼう》からなされている。

とりわけ恐ろしいのが、今から約一一五〇年前の平安時代に起きた「貞観地震」との比較だ。西暦八〇〇年代は、八六四年の「貞観噴火」を皮切りに八六九年の「貞観地震」、そして八八七年の「仁和地震」と「富士山噴火」「東方（太平洋）沖地震」「関東直下型地震」「東海・東南海・南海地震」が短い時間差で起きていたことがわかっている。もし、現代の日本で「富士山の噴火」や「東南海地震」が起これば、莫大な復興費の計上を通して政府のご破算は決定的だ。瞬間的にハードランディングとなる。

そして三つ目が「地政学リスク」だ。知っての通り、直近の世界情勢はおよそ八〇年振りに風雲急《ふううんきゅう》を告げている。中でも中国、ロシア、北朝鮮という〝悪の枢軸《すうじく》〟（しかも核保有国）に囲まれたここ日本の潜在的な危険性は、もはや説明するまでもない。

特筆に値するのは「台湾有事」である。「台湾有事」が起こった際、真っ先に危惧すべきは「油断」（オイルショック）だ。日本は原油の九割弱を中東に頼っているが、「台湾有事」の際は中東からの最短ルート「マラッカ・シンガポール海峡ルート」が航行不能となる。

さらには、直接的な戦費の負担も計り知れない。二〇二三年度から五年間の防衛費がこれまでの一・五倍の四三兆円となるが、有事が現実のものとなればこんなものでは済まないだろう。場合によっては、一九三〇年代のように財政ファイナンスで戦費を賄う必要が出てくるかもしれない。そうなれば、大幅な円安によって国内のインフレ率は急伸、時を置かずして財政はパンクする。

読者の皆さんも、うすうす気付いているはずだ。今の日本社会は紛《まぎ》れもなく過渡期にある。そして政府の財政状況を鑑みるに、最終的にはハードランディングに至る可能性が高い。

前出の神野氏はシュンペーターを解釈した上で、「社会が転換期にある時には、財政分析が最も効果的である」と結論付けている。日本政府の財政を巡《めぐ》っては、経済学者やエコノミストの間でも見解がわかれており、最も楽観的な層からは「国の借金は悪いことではなく、むしろ現状は少なすぎる(だからもっと国債発行した方がよい)」との声も聞こえてくるが、もはや〝暴論〟もいいところだ。

長い歴史を振り返ってみても放漫財政を永遠に続けられた国家など存在せず、

古今東西どこの国においても放漫財政を続けようとすればどこかで必ず（財政の）壁に激突し、「ハイパーインフレ」といった末路を迎えている。だが、「ここ日本でもずっと前から財政破綻が叫ばれているが、実際には何も起こってないから、結局は大丈夫なのではないか⁉」という声も散見されるが、これは歴史を学んでいない者の無知ゆえの勘違いだ。

「愚者は経験に学び、賢者は歴史に学ぶ」という格言がある。これはかつてのドイツ宰相オットー・フォン・ビスマルクが残したものだ。そのビスマルクは「常に自分の経験からしか学ばない者は愚者だ」と断じ、「本当の賢者は歴史から学び、学べない部分は経験で補完できる者だ」と喝破《かっぱ》する。そして「本当の愚者は、歴史からも経験からも学ばない者」だとした。

世界最大のヘッジファンドを一代で築いたブリッジウォーター・アソシエイツの創業者で二〇二二年に引退したレイ・ダリオ氏も、歴史から学ぶ重要性を説いている。ダリオ氏は、二〇二三年六月一二日にニューヨークで開催されたフォーブス主催の「アイコノクラスト・サミット」で、今までの自身の投資が成功してきた理由について「それは歴史の研究にある」とし、以下のように語った――「私を驚かせたことは、私が生きている間に起こらなかったから驚いただけで、歴史上では何度も起こっている」（フォーブス二〇二三年六月一五日付）。

戦後八〇年間に財政危機が起こらなかったといって、それが今後も起きないことを意味するものではまったくない。それを立証するかのように、日本の政府債務残高は天文学的な数字となっている。もはや、最終局面に位置していると断言せざるを得ない。

財務省によると、国債と借入金それに政府短期証券を合わせた政府の債務、いわゆる〝国の借金〟は、二〇二二年度末の時点で一二七〇兆四九九〇億円と七連続で過去最大を更新した。これが二〇二三年度末には、一四四一兆三七六二億円まで増えると財務省は見通す。これ以外にも地方自治体の二〇〇兆円がありどう考えても返済不可能だ。

こうした絶対値もさることながら、債務残高の対ＧＤＰ（国内総生産）比で

債務残高の国際比較（対GDP比）

（2023年4月）

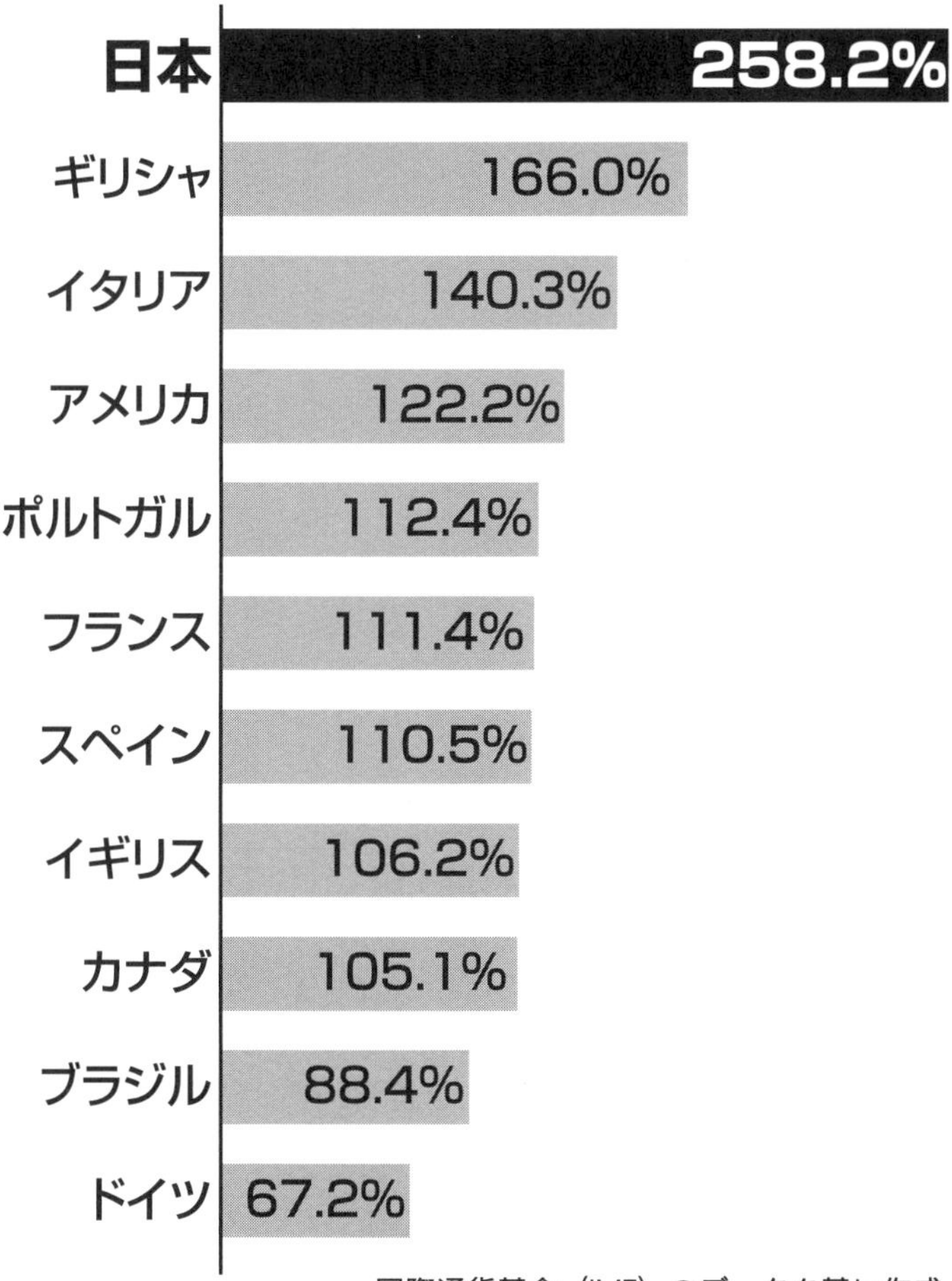

国際通貨基金（IMF）のデータを基に作成

見ても、日本の異常性が際立つ。国際通貨基金（ＩＭＦ）によれば、二〇二三年の時点で日本の政府債務残高は対ＧＤＰ比二五八・二％（これは地方自治体も含めた数値）と主要国で断トツの一位となっている。極めて不名誉な一位だ。

またＧ７の中で日本国債の格付けは、下から二番目である。ちなみに、格付け大手三社（Ｓ＆Ｐグローバル・レーティング、ムーディーズ・インベスターズ・サービス、フィッチ・レーティングス）から最上級の格付け「ＡＡＡ」を付与されている国は、ドイツ、デンマーク、オランダ、スウェーデン、ノルウェー、スイス、ルクセンブルク、シンガポール、オーストラリアのみ。カナダは二社、アメリカは一社から最上級の格付けを得ている。

ところで、なぜ対ＧＤＰ比の債務残高が日本より少ないイタリアの格付け（二一ページ参照）がさらに下にあるかというと、それはイタリアの債務が自国通貨のリラ建てではなく、共通通貨（ユーロ）建てだからだ。

余談だが、公的債務には大雑把に言って三種類ある。一つはアメリカ型の「自国通貨（基軸通貨）建ての対外債務」。二つ目は日本型の「自国通貨建ての

G7各国の国債格付け

日本はG7諸国で2番目の低さ

	フィッチ	S&P	ムーディーズ
ドイツ	AAA	AAA	Aaa
カナダ	AA+	AAA	Aaa
アメリカ	AA+	AA+	Aaa
フランス	AA−	AA	Aa2
イギリス	AA−	AA	Aa3
日本	A	A+	A1
イタリア	BBB	BBB	Baa3

外貨建て長期債格付け（2023年9月末現在）
ブルームバーグのデータを基に作成

対内債務」。そして三つ目がイタリアやギリシャなどの「外貨（共通通貨）建ての対外債務」だ。このうちアメリカ型と日本型は相対的にデフォルトしにくいとされ、イタリア型はそれに比べるとデフォルトしやすいとされる。なぜなら、対外債務の場合は貸し手が早い段階で取り立てすることが多いためだ（アメリカの対外債務は自国通貨建てなので少し事情が違う）。この点が考慮され、イタリアの格付けは日本よりも低くなっている。

さて、政府債務残高の対GDP比が一体、いくつになれば破綻するのか。明確な線引きはない。しかし、歴史を振り返るとGDP比で三〇〇％もの債務を抱えて無事だった国は存在しなかったことがうかがえる。第二次世界大戦後のイギリスも三〇〇％の手前（正確には二六九％）で金融抑圧（長期間のインフレによって政府債務を目減りさせること。定義にもよるが、これも事実上の財政破綻と言える）を余儀なくされた。

今後、日本の政府債務残高は、増えることはあっても減ることはまずない。冒頭でも述べたように、日本の政治家や国民には財政再建の意思がないからだ。

国債の格付けにすべてAAAを付与されている国々

（2023年9月末現在）

	フィッチ	S&P	ムーディーズ
ドイツ	AAA	AAA	Aaa
デンマーク	AAA	AAA	Aaa
オランダ	AAA	AAA	Aaa
スウェーデン	AAA	AAA	Aaa
ノルウェー	AAA	AAA	Aaa
スイス	AAA	AAA	Aaa
ルクセンブルク	AAA	AAA	Aaa
シンガポール	AAA	AAA	Aaa
オーストラリア	AAA	AAA	Aaa
参考 アメリカ	AA+	AA+	Aaa

ブルームバーグのデータを基に作成

経済成長することによって対ＧＤＰ比の債務残高を減らすことも可能だが、日本の潜在成長率（一国が中長期的に持続可能な経済成長率）はゼロ％近辺で推移しており、これを恒常的にプラス圏へ浮上させることは容易ではない。

そうなると、残された財政再建の選択肢は「借金の棒引き」や「ハイパーインフレ」といったところか。日本の債務問題は、おそらくこのどちらかに行き着く。その際に、最も大きな被害を受けるのが私たち国民だということを忘れてはならない。

低金利で生き永らえる日本政府

前項で示したように、日本の政府債務残高は絶対値で見ても対ＧＤＰ比で見ても圧倒的な規模だ。しかし、日本政府は今も何事もないかのように振る舞っており、一部からは財政危機を危惧する声が聞かれるものの、実際には表面化していない。

一体、なぜなのか。それはひとえに積み上がる債務残高とは裏腹に、政府の利払い負担は少なく済んでいるからである。二七ページの図をご覧いただきたい。これは日本の普通国債残高と金利、そして利払い費の推移なのだが、棒グラフに表わされている積み上がる国債発行残高とは対照的に、金利と利払い費は低下傾向をたどってきたことがわかる。

ところで、基本的な知識として「金利と国債の価格は、逆相関で動く」ということを覚えていただきたい。すなわち、金利の上昇は国債価格の値下がりを意味し、金利の低下は国債価格の値上がりを意味する。常識的に考えれば、日本の状況は魔訶不思議だ。本来であれば、借金が増えるにつれ貸し手は借り手の返済能力を疑う（すなわち、より高い金利を要求する）ようになる。それが、日本の場合は違うのだ。不思議なことに日本政府が借金を重ねれば重なるほど信用力は高まり、国債の価格が上昇（金利は低下）してきたのである。

こうした金利低下の恩恵は、日本政府にとって絶大なものであった。今では国債発行残高が一〇〇〇兆円を突破しているというのに、利払い費は過去一〇年ほとんど変わっていない。これは、金利が趨勢《すうせい》的な低下トレンドにあったため、政府が国債を借り換える際にはさらに有利な金利が適用されてきたからである。結果的にこの十数年は、毎年度七兆～八兆円規模の利払いで済んだ。二〇〇五年前後を起点にすると、国債発行残高はほぼ倍増したのに対し、利払い費は横ばいという、債務者（ここでは日本政府）にとってはまさに夢見心地の状態であった。半面、低金利に慢心した政府が財政規律を軽視するようになった。これは、深刻な副作用と言える。

ところで、この長期的な低金利の一翼を担ってきたのが〝日銀〟だ。バブル崩壊以降の日銀は、経済が低体温症から抜け出せるように一貫して低金利政策に終始したのだが、これには功罪相半《こうざいあいなか》ばの評価がある。

功績の面は、なんと言っても日本政府の利払い負担を低下させたことだ。また、民間からしても実質上のゼロ金利で借金するのが容易になったことだろう。とはいえ、日銀は長期に低金利政策を実行したが、日本経済の低体温症が完治することはなかった。

国債残高と利払費と金利の推移

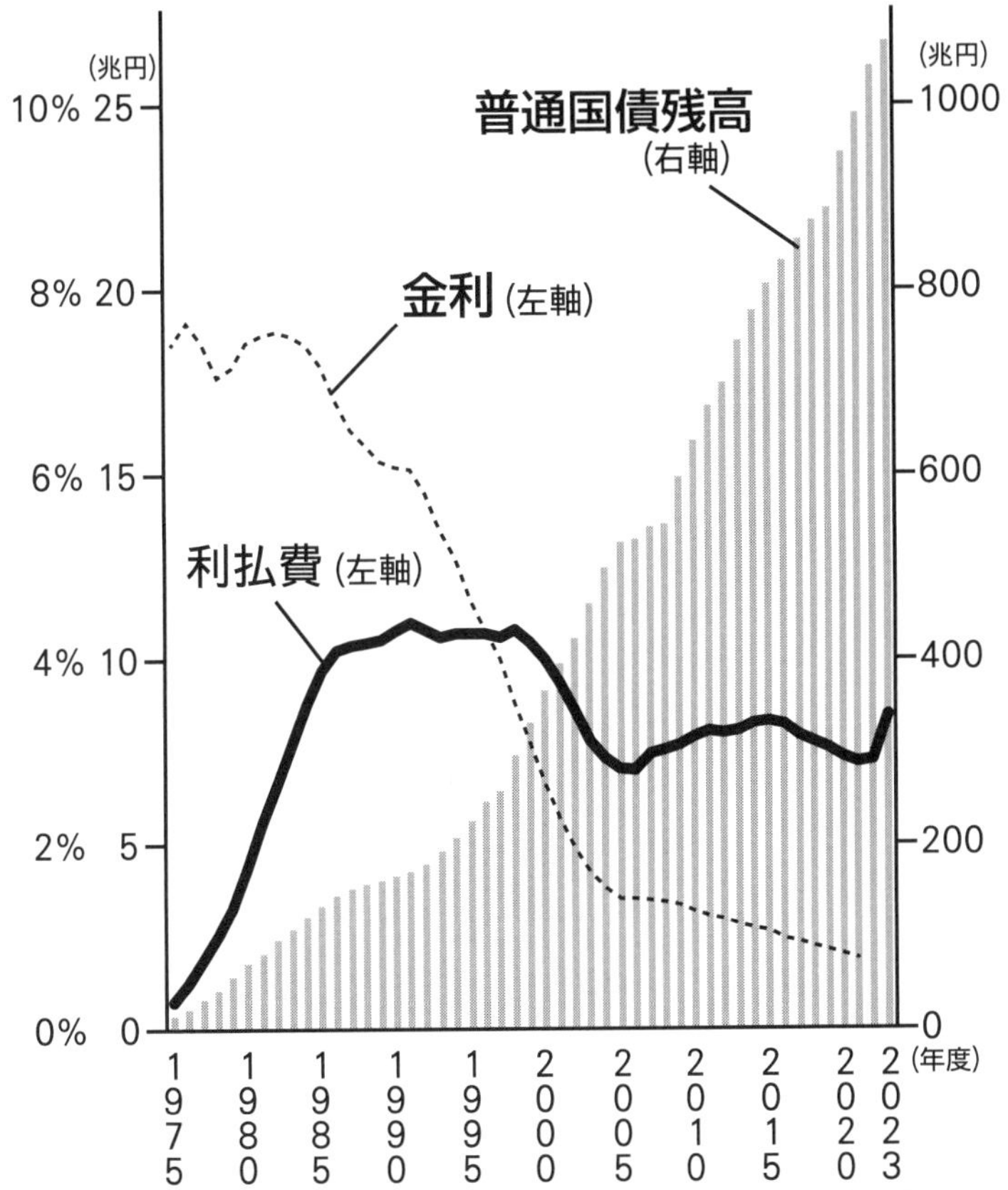

※利払費は、令和3年度までは決算、令和4年度は第2次補正後予算、
令和5年度は予算による
※金利は、普通国債の利率加重平均の値を使用
※普通国債残高は各年度3月末現在高。
ただし令和4年度は第2次補正後予算、令和5年度は予算に基づく見込み

財務省のデータを基に作成

反対に、日本政府の財政規律が緩《ゆる》んだことこそが、主な罪過《ざいか》として挙げられる。それに日銀は、ゾンビ企業（効率が低く借金まみれで健全な経営状況にないにも関わらず、銀行から追加融資を受けることで市場に残っている企業）の市場からの退場を間接的に阻《はば》んだ。

鶏が先か卵が先かという議論に近いが、経済の新陳代謝を上げようと導入した低金利政策が長期化することでかえってゾンビ企業を温存するという、皮肉な結果につながったのである。また日本政府に生じた財政規律の弛緩《しかん》は、「経済学にフリーランチ（タダ飯）はない」という歴史の教訓からすると、その代償はいつの日か必ず払わされるはずだ。

低金利のしわ寄せは為替（円安）に

日銀の一貫した低金利政策のしわ寄せが、為替にきている。普段から実質的な為替を意識していない人はピンとこないかもしれないが、日本が低金利政策

日米の政策金利の推移

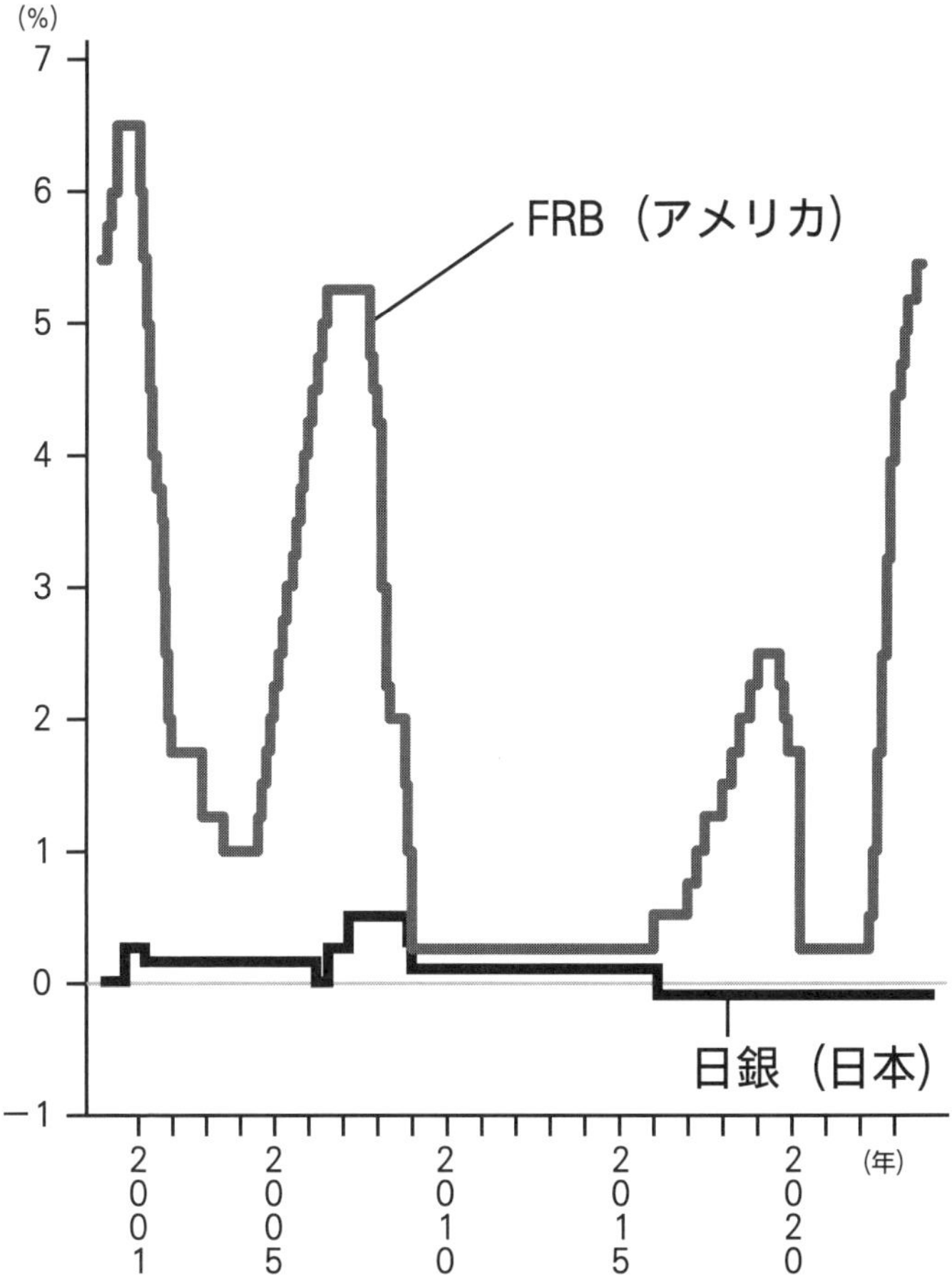

ファクトセットのデータを基に作成

を続けてきた間に日本円の〝実力〟は、恐ろしいほどまでに低下した。

事実、国際決済銀行（ＢＩＳ）が算出する通貨の購買力を示す「実質実効為替レート」を見ると、日本円は一九九五年に付けたピーク比から昨年までの下落率が六割に達する。これは先進国の通貨では異例の下落率で、日本より激しい下げを記録したのは、破綻国家として名高いアルゼンチンやトルコといった面々だ。二〇二三年八月の円の実質実効為替レートは七三・一九（二〇二〇年＝一〇〇）と、遡ることができる一九七〇年以来の最低となっている。

一九七〇年以来、五三年振りの低水準というのは、円が一ドル＝三六〇円の固定相場制だった時代と同水準であり、日本の対外的な購買力の低下は深刻だ。国内にいるとあまり気付かないかもしれないが、日本人の購買力は過去一〇年で、ほぼ半減している。一〇年前には一万円あれば一三二ドル相当（当時一ドル＝七五・七六円計算）のモノが買えたが、現在では六七ドル相当（一ドル＝一五〇円計算）にしかならないのだ（嘘だと思うなら、アメリカを旅行してみるといい）。低金利政策のおかげもあって、日本の財政危機が表面化することは

円の下落率は破綻国家並み

	最高値	底	ピーク比下落率
アルゼンチン	2001年10月	2018年9月	▲82.5%
セルビア	2000年11月	2001年1月	▲78.4%
インドネシア	1997年2月	1998年6月	▲68.1%
トルコ	2008年8月	2021年12月	▲62.0%
日本	1995年4月	2022年10月	▲62.0%
アルジェリア	1994年3月	2021年2月	▲54.8%

注：実質実効為替レートのピーク比下落率上位
▲はマイナス、BIS算出
日本経済新聞のデータを基に作成

なかったが、その反動として日本人の購買力が半減したと思うとぞっとする。

短期は別として、長期的には通貨の価値は国力を反映していると解釈するのが自然だ。歴史的にも通貨安で滅んだ国はあるが、通貨高で滅んだ国はない。国力を反映する日本円の実質的な価値が、破綻国家として名高いアルゼンチンやトルコの通貨に匹敵する下落率を長期的に記録したということは、日本の国力がこの期間で相当に衰退したとも言えるのだ。

カーネギー倫理国際関係協議会のシニアフェローであるリチャード・カッツ氏は、二〇二二年一二月八日付のウォール・ストリート・ジャーナルに「弱い円は日本を弱くする」と題して寄稿、近年の日本円の下落が日米金利差といった変動を超えた「より根本的な何かを反映している」と分析し、「円が下落しているのは、日本経済が弱体化しているためである」と結論付けた。

カッツ氏は、日本経済の弱体化の原因が日本製品の国際競争力の低下にあるとし、過去と比べて円安になっても輸出が増えない現状を問題視する。また、「円安は実質賃金を低下させる効果があるため、消費者の購買力も低下する。円

円の実力は下落している

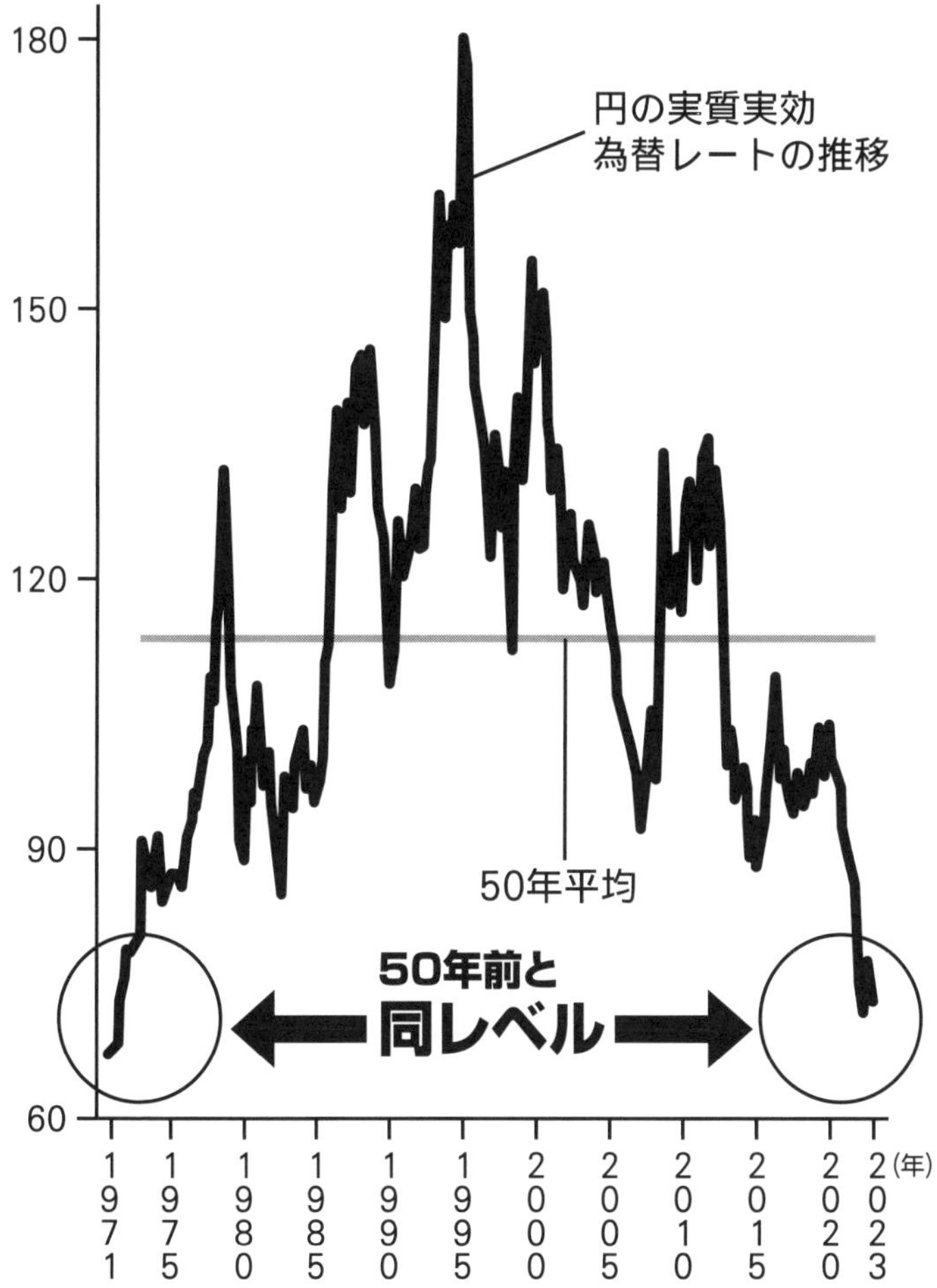

ブルームバーグ、BISのデータを基に作成

安は、輸入が中心となっている食品と、輸入への依存度が特に高いエネルギー製品の価格を大きく押し上げるからだ」とし、「これほどの円安によって生じるコストが、利益を大幅に上回る」と指摘。「結局のところ、円安によって過去のように日本の輸出や国内総生産（GDP）が押し上げられることは、もはやない」（同前）と断じた。

私は、新型コロナウイルスのパンデミックが収束し始めた二〇二二年から複数回にわたって海外へ渡航したが、現地のすさまじい物価高や円安による為替レート上の不遇をまざまざと感じた。しかも、海外で日本製品を見る機会はめっきり減った。カッツ氏が言うように、日本経済の実力が低下していることに疑いの余地はない。日本食（和食）こそ盛り上がりを見せているが、現地で経営しているオーナーは中国や韓国といったアジア系がほとんどで、「彼らに日本のソフトパワーが利用されているだけなのでは？」と思わせる。日本経済のプレゼンス（影響力）低下は歴然だ。

輸出産業を別にすれば、円安で喜ぶのは海外からの旅行者くらいだが、実は意外なところでも円安の副作用が生じている。二〇二三年七月三日、台湾メディア「ET today 新聞雲」は、ベトナムの英字メディア「VNエクスプレス」の報道を引用する形で、日本の物価上昇と円安で収入が大きく減少した在日ベトナム人労働者が、続々と帰国していると報じた。

記事は、円安と物価の上昇によって収入が激減したため帰国を計画している大阪在住のベトナム人エンジニア、ゴックさんの話を紹介。物価の高騰に加えて円がユーロやドルに対して急落したことで、ゴックさんをはじめとする外国人労働者の収入が相対的に減少しており、ゴックさんが「以前は二九〇〇万ドン（約一八万円）に相当した給料が、今は七〇〇〇万ドン（約四万三〇〇〇円）分目減りした。ベトナム人駐在員や学生にとって、日本は以前ほど魅力的ではない」（レコードチャイナ二〇二三年七月五日付）と語ったと伝えている。

記事はまた、別のベトナム人グエンさんのケースとして、「グエンさんが日本に旅立つ際に二億ドン（約一二〇万円）を貸してくれた両親は、グエンさんからの仕送りの少なさに不満を抱いており、『ほぼ一年間日本で働いたのに、なぜ借金を返済できないのか』と聞いてくるという。『知人一〇人のうち、八人はすでに帰国した』と明かすグエンさん自身も、両親からの借金を返し終え次第、ベトナムに帰国することを決めたようだ」（同前）と報じた。

いくらインバウンド（外国人による日本旅行）が盛んといっても、観光業で国全体が潤うことはない。そのため私は、もはやかつてのような円高局面の再来はないと考えている。たとえば、二〇〇八年のリーマン・ショックや二〇一一年の「東日本大震災」の際は極端に円高が進んだが、もはやあのようなレパトリエーション（本国への資金回帰）が今の日本で起こるとは考えにくい。むしろ日本経済の衰退を理由として、今後は日本国民のキャピタル・フライト（資本逃避＝海外への資本の避難）を心配すべき段階へと移って行くことだろう。

財務省によると、二〇二二年末時点で日本の投資家が海外の債券・証券市場に投資した金額は五三一兆円に達するが、これは日銀の国債保有残高とほぼ同じだ。ちなみに日銀は、同年末時点で国債を五六四兆一五五七億円も保有している。今後も日銀の国債保有残高は増えて行く見込みで、それと歩調を合わせるかのように日本人のキャピタル・フライトも加速するかもしれない。

　ここまで見てきたように、財政破綻の兆候はすでに為替（円安）を通じて現れている。過度な円安の際は日銀が利上げで食い止められる、との見方もあるが甚《はなは》だ疑問だ。というのも、利上げは政府債務の利払い負担を増加させるだけではなく、日銀の財務にも大きな悪影響を与え、さらには民間の金融機関が持つ日本国債の評価損にもつながる。そのため、仮に通貨危機が起こった時にそれを阻止するため日銀が確固たる利上げで臨むかは、極めて疑わしい。

　外貨準備も、結局のところ砂上の楼閣《ろうかく》だ。確かに外貨準備は通貨危機の時に一定の防波堤の役割を果たし得るが、そもそも有限であるため、もし外貨が枯渇すればさらなる通貨の暴落に発展する可能性を秘めている。また、日本の外貨準備高は二〇二二年末時点で一兆二二七五億七六〇〇万ドル（一ドル＝一三二円計算で約一六二兆円）と巨大だが、そのおよそ八割は米国債で運用されており、これは簡単に売却できない。日本が米国債を売れば、アメリカの長期金利上昇に直結する（それは市場を動揺させる恐れがある）ためだ。そもそも、アメリカ政府が日本の為替介入をおいそれと容認する保証は、どこにもない。

ドイツのコメルツ銀行は二〇二三年七月のリポートで、日銀が超緩和的な金融政策を続ける中、当局者が口先介入で円の押し上げに努めるという整合性のないやり方を批判。口先介入にせよ、市場で活発に売買するにせよ、「中央銀行が自国・地域の通貨の長期的な下支えに成功する手段は利上げだけ」だとし、日本のような整合性のないこうした政策は、「いずれ逆の効果をもたらし得る。制御困難な高インフレに転じ、国家財政危機、および現在の円の水準がまったく大したものでなくなるほどの大幅な円安に陥る可能性がある」（ブルームバーグ二〇二三年七月四日付）と警鐘を鳴らした。

日銀が利上げに慎重である限り、通貨危機は〝待ったなし〟の様相を帯びてくる。ちなみに、日本の消費者物価指数（CPI、生鮮食品除くコア）上昇率は二〇二三年九月までに一七ヵ月連続で日銀が目標とする二％を上回ったが、それでも日銀は楽観的な見通しを示しており（日銀はコアCPI上昇率が二〇二四年度、二〇二五年度共に二％を下回ると予想、二％インフレの定着は未達と見ている)、基本的に利上げには消極的だ。

こうした日銀の一貫した利上げに対する消極的な姿勢は、海外の市場関係者を中心に多くの〝疑念〟をもたらしている。それは、先にも述べたが政府の債務問題への〝忖度《そんたく》〟から、日銀が金融緩和の出口に進まない（進めない）のではないかというものだ。

みずほリサーチ&テクノロジーズで主席エコノミストを務める宮嵜浩氏は、二〇二三年八月八日付のブルームバーグで「日銀は金利差を縮小させるため〇・七％程度までの一〇年債利回り上昇は容認可能だ」と指摘。この水準を上回る動きは財政支出のコストを過度に増加させる可能性があるため、政治家や政府当局者は容認しないだろうとの見方を示した。しかし、こうした疑念が募《つの》れば募るほど日銀への信認も低下する。いずれは、同銀が発行する日本円の価値も真に信頼を喪失するはずだ。その時、日本円は紙キレと化すかもしれない。

「日銀が長期金利を抑え続けているとインフレは手が付けられなくなり、日本は一晩でハイパーインフレになる可能性があります。日本人はこの政策によって貧しくなるでしょう」――スイスのヘッジファンド、EDLキャピタルのCIOエドゥアール・ドラングラード氏は、二〇二二年九月五日に放送されたBS－TBSのニュース番組「報道1930」の中でこのように日本人へ警鐘を鳴らした。相当な供給力を備える現代の日本で「ハイパーインフレになる」と言われても、おそらく九九％の人は信じないだろうが、円の発行元である中央銀行（日銀）の信認が大きく毀損《きそん》する事態となれば、一晩でハイパーインフレが起こることも十分に考えられる。

繰り返しになるが、日本の政府債務は円建てであるため、日銀が財政ファイナンスで円を発行し続ければ、理論上は政府がデフォルト（債務不履行）を起こすことはない。しかし、そのしわ寄せは必ず為替におよぶ。というより、昨今の円安は日銀が信頼を失いかけているという証左だ。

こうまで日本経済が沈みかけているというのに、依然として日本がソフトランディング（軟着陸）できるという楽観論も聞こえてくる。しかし私に言わせると、待ち受けているのはハードランディング（着陸失敗。激突）一択だ。

日本国内でも消費者の予想インフレ率が急上昇

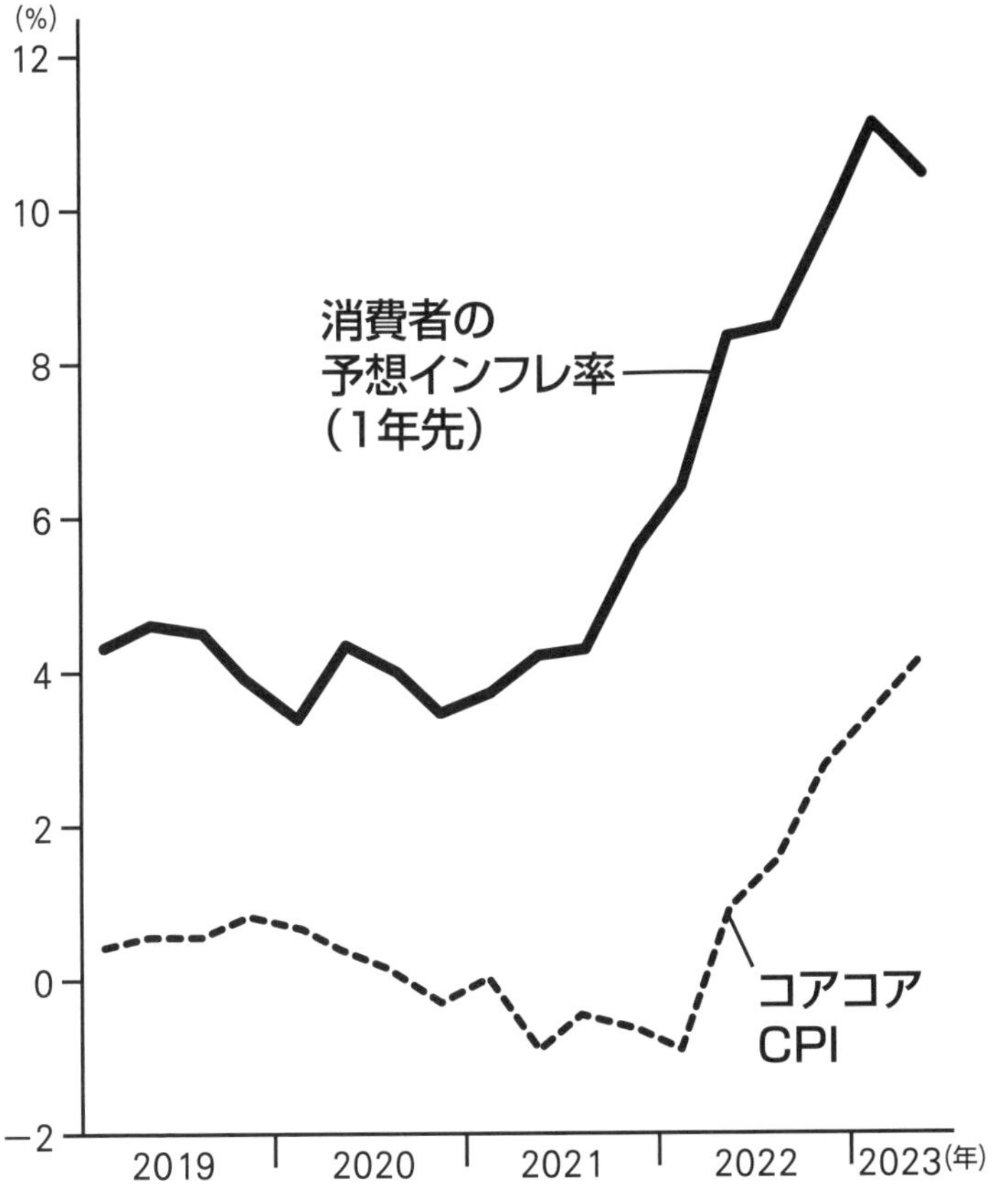

注：■消費者の予想インフレ率は日銀の生活意識に関するアンケート調査ベース。
■コアコアCPIは、生鮮食品とエネルギーを除いたベースで前年同月比の上昇率。

ソフトランディングは期待できず。ハードランディングに備えよ

本章の冒頭でも書いたように、日本の財政危機はタイマーはセットされているが残り時間が表示されない〝時限爆弾〟のようなものだ。政治家と国民が共にまったく財政再建に関心を示さない現状では、財政危機はいつか必ず訪れる。

その際、想定でき得る危機のシナリオは三つある。一つ目は歴史的にもオーソドックスな「財政危機」で、政府の発行する国債が暴落（金利は急騰）、株価もその道連れとなり、壊滅的状況が国民生活を襲う。当然、財政再建のための大増税は必至で、日々の当たり前だった暮らしはほどなく破壊される。

二つ目は「インフレ税」というシナリオだ。先ほどから説明しているように、日本の政府債務のほとんどは円建てであるため、究極的には中央銀行がお札を刷ってファイナンス（肩代わり）できる。このシナリオでは、政府のデフォルト（債務不履行）こそ免れるものの、その反動として残忍なインフレが日本社

会を襲う。これは「インフレ税」と呼ばれ、政府の債務は時間と共に目減りするが、国民の生活は物価上昇によって極度に混乱を来《き》たす。

三つ目は最もひどいケースで、「この二つが同時あるいは時間差で起こる」というものだ。実は、過去の歴史を振り返ると財政危機は世界中で幾度となく起こってきたわけだが、こうした最悪のケースに見舞われていた例は決して珍しくない。日本の政府債務残高の規模を考慮すれば、おそらく日本もこの最悪のパターンをなぞる可能性が高い。その筋書きはこうだ「そう遠くない将来、世界が依然としてインフレに苦しんでいたとする。世界のインフレ率は五〜七％くらいで膠着《こうちゃく》し、日本のそれは二〜五％といった状況を想像してほしい。その頃、日本の対GDP（国内総生産）比で見た政府債務残高は三〇〇％に接近している。それでも日本の長期金利は、上限を一％（もしくは二％）としたイールドカーブ・コントロール（YCC：長短金利操作）のおかげで過度な国債価格下落（長期金利上昇）は免れていた。ただし、そのしわ寄せが為替に向かったため一ドル＝一四〇〜一六〇円という円安が定着している」。

このようなシナリオの下では、日本銀行が究極のジレンマに直面しているはずだ。それは「物価の番人」としての矜持《きょうじ》を保つのか、あるいはこのまま「フィスカル・ドミナンス」（財政従属）に徹するのか、というジレンマである。

前項までで述べてきたように、ここ日本でインフレが社会問題化した際、日銀が利上げという手段でインフレ退治に臨むかは不透明だ。むしろ、懐事情が極端に悪化した政府の顔色をうかがって、インフレを放置する（あえて利上げを選択しない）シナリオが有力となる。

仮に、日銀が利上げでインフレ退治に臨めば、その反動として政府の利払い費や日銀が当座預金に付利している負担が激増し、最悪の場合、政府の予算が組めなくなることや日銀が債務超過に陥る可能性が浮上するのだ。さらには、民間が保有する日本国債にも大きな評価損が発生して金融危機が起こる。

こうしたハードランディングを避けようと日銀が「財政ファイナンス」の形で低金利を貫けば、一層のしわ寄せが為替に向かうことは間違いない。おそらく一ドル＝一四〇～一六〇円だったレンジが、一ドル＝一六〇～二〇〇円くらいに切り下がるはずだ。

頑固一徹とも言える低金利政策の維持は、政府の債務負担を抑制させるにはさせるが、円のレートが切り下がることで当然のごとく輸入インフレを激化させる。国民の不満は積もりに積もり、いつしか政治サイドからも利上げによるインフレ退治（円高誘導）を望む声が出てくるかもしれない。そうなると、日銀はどんどん板挟みになり、最終的には利上げに突き進むことも考えられる。

財政危機に直面した国ではよくあることなのだが、こうした〝インフレの放置〟と〝インフレ退治〟が、シーソーゲームのように繰り返されることが少なくない。そうこうしている間に、政治が確固たる財政再建案を提示できるのであれば話は違ってくるかもしれないが、ほとんどの場合で政治は混乱する。いつしか国民からも見放されて、深刻なキャピタル・フライトに発展してしまうのだ。そうなると、待つのは「トリプル安」（債券安、円安、株安）である。これにてゲームオーバーだ。

これら三つのシナリオは、国民の生活が極端に破壊されるという点で共通している。しかも、財政危機は国民が想像しているよりも長く続くのが歴史の常だ。一事が万事、一度でも失った信用が早々に回復することはないのである。

「日本は金融抑圧の道を進む」という指摘も

ところで、こうしたハードランディングとは別に「第四のシナリオ」として「金融抑圧」を指摘する有識者も少なくない。

この「金融抑圧」とは、「投資家が好ましくない金利、つまり現行のインフレの水準を下回る金利で債券を購入せざるを得ないと感じる状況を政府が作り出し、国の債務を減らす助けをする」（フィナンシャル・タイムズ二〇一二年五月一一日付）ことを指す。極めて単純に言うと、緩やかなインフレを利用した政府債務の帳消しであり、戦後のイギリスやアメリカなどで採用された手法だ。

たとえば、インフレ率が一〇％の時に中央銀行が政策金利を二％で据え置いた場合、実質金利がマイナス八％になる。このような条件で国債を買った投資家は、マイナスの金利分を政府に支払うことになる。このように、民間経済が長期間にわたる大幅なマイナス金利を甘受できれば、政府債務の劇的な圧縮が可能だ。国民の側からすると、「インフレ」と「実質賃金の低下」が長期間にわたって続くという、悲惨な耐乏《たいぼう》レースを強いられる。

しかも、金融抑圧には資本規制が必須だ。第二次世界大戦後のアメリカやイギリスではインフレ高進による政府債務の圧縮が実現したが、両国では国際的な資本取引が制限されていた。資本規制を実施せずに金融抑圧を図れば、往々にしてキャピタル・フライトが起こってしまい、高い確率で失敗してしまう。

イギリスの例を見てみたい。第二次世界大戦の戦費調達によって政府債務が国内総生産（GDP）の二倍以上にまで膨れ上がったイギリス政府は、一九四五年からおよそ三〇年間も金融抑圧を実施した。金融抑圧は、消費税などとは違って国民のコンセンサスを必要としないため、別称「インフレ・タックス」（インフレ税）と言われる。しかも、イギリスでは三〇年間にわたって金融抑圧が実施された結果、生産性が著しく低下してしまい、諸外国から「英国病」と揶揄《やゆ》されるに至った。一九七六年には、ポンド防衛のためにＩＭＦ（国際通貨基金）からの支援を受けている。

『国家は破綻する』の共著者であるカーメン・Ｍ・ラインハートハーバード大学教授の研究によると、一九四五年からの三五年間でイギリス政府が民間に課したインフレ・タックス（実質マイナス金利による税）の年間平均は、対ＧＤＰ比で三・八％であった。この数字だけを見てもピンとこないかもしれないが、これを現在の日本の消費税に当てはめると、毎年七～一〇％の増税に相当する。

日本の財政危機も、こうした陰鬱《いんうつ》なシナリオとなるのか。日本銀行調査統計局の出身で第一生命経済研究所首席エコノミストの熊野英生氏は、近著『インフレ課税と闘う！』（集英社）で次のように指摘している。

今後の日本経済を考えると、最悪の場合、第二次世界大戦後のイギリスや米国と同じような運命を辿る可能性があると考えられる。ハイパーインフレや長期金利の急上昇というマーケットの反乱が起こるの

は、「ハードランディング・シナリオ」だ。仮に、それを避けられても、じわじわと円安が進み、インフレ課税が長期間にわたって続くというシナリオに追い込まれる蓋然性は高い。

実は、この金融抑圧が、私たちを円安に陥れている原因の一つだ。経済学の教科書では、インフレ期には通貨が減価すると教えられる。ならば、二〇二二年のようなときは、欧米の方がインフレ率が高いのだから、ドル安・ユーロ安になり、円高になるはずだ。しかし、現実はそうならなかった。ドル高、円安になった。理由は、米国が利上げをして、日本は利上げできなかったからだ。欧米の国民は、インフレ課税の資産目減り分を中央銀行の利上げによっていくらか取り返せていると言える。

問題は、私たち日本人の金融資産運用を金融抑圧の下でどうするかだ。円資産は、高い利回りが期待できないとなると、やはり海外金利で運用するしかない。欧米各国は、インフレに応じて利上げを進めている。利上げができない日本に対して、海外では利上げをしている。ならば、私たちも運用資産の一部を海外にシフトさせるしかない。

（熊野英生著『インフレ課税と闘う！』）

著者の熊野氏はとても賢明な方で、まったくその通りだと思う。しかし、一つだけ誤りを指摘せざるを得ない。それは、熊野氏が指摘するような「日本人の運用資産の海外シフト」（キャピタル・フライトのこと）が進行すれば、自ずと金融抑圧は失敗してしまう。逆説的に言うと、ここ日本でも「資本規制」が導入される可能性は高い。

依然として、日本の債務問題がソフトランディングあるいはノーランディングできると考えている層もいるが、結局のところこの世にフリーランチはない。自らが蒔《ま》いた種は、自らで拾うしかない。そしてそれは、おそらくハードランディングで帰結する。

第二章　迫りくる巨大天災

――被害額最大二三二〇兆～三〇〇〇兆円

すべての地震と災害は警告である。世界には堕落が多すぎる。

（アリストテレス〈古代ギリシャの哲学者〉）

天災は忘れた頃にやってくる

明治時代から昭和初期にかけての人物に、寺田寅彦《てらだとらひこ》という人がいる。熊本の第五高等学校時代に、かの文豪・夏目漱石より英語を学び、その後も親交を深め、俳句や随筆などの文学において漱石に師事した。漱石も寺田のことを一番弟子としてかわいがり、漱石の代表作『吾輩は猫である』や『三四郎』に寺田をモデルとした人物を登場させているほどだ。

ただこの寺田寅彦は、文豪としてよりも物理学者としての方が名を馳《は》せている。寺田は「X線の結晶」と題した手紙をイギリス科学雑誌「ネイチャー」に送っており、日本における「X線回折法」の第一人者である。他にもあらゆる物理学に精通しており、研究範囲は実験物理学、応用物理学の他に地球物理学と多岐にわたる。この「地球物理学」とは、地震学、火山学、気象学、測地学、海洋物理学、地球電磁気学などが当てはまる。

このように、地球で発生する事象を研究していた寺田が発した、ある有名な言葉がある。それは、「天災は忘れた頃にやってくる」だ。この有名な言葉を、寺田は文章として残すのではなく、自分の友人、知り合い、また講演会などで口酸っぱくことあるごとに繰り返し口頭で伝えてきた。

元々寺田は、研究対象から地震などの災害に関心を持っていたが、特に強い関心を示すようになったのは、一九二三年九月一日の関東大震災が発生してからであった。あまりに大きな被害を被った震災を経験した寺田は、将来このような被害を防ぐために何ができるかと考えた。そして、「人が過去の災害を忘れないように努力するより他はない」という結論に至ったのである。

結果、出てきた言葉が先の名言である。天災は忘れた頃にやってくる、だから皆で忘れずにしっかり覚えておこうというわけだ。これまで起きた天災を教訓にして、対策を怠らないようにしよう、ということである。

そして、このような実際に起きた天災を忘れないように後世に伝えようとするのは寺田に限った話ではない。

先人などの教訓に学ぶ

日本は、災害大国である。地震や台風、噴火、津波、豪雨などは古今東西、日本の至るところで起きており、時にそれらは大災害につながり、痛々しい爪痕を残してきた。そのような天災の被害を最小限に抑えるために、先人たちはその出来事や教訓をあらゆる形で後世に伝えている。それは、ある時は短歌の形で残されているケースもある。その例として平安時代の歌人、清原元輔《きよはらのもとすけ》の短歌をご紹介しよう。

契りきな　かたみに袖を　しぼりつつ　末の松山　波越さじとは

訳：私たちは決して心変わりはしないと約束しましたよね。互いに涙で濡れた袖を幾度も絞りながら、あの末の松山を波が決して越さないように

これは、百人一首にも選ばれている有名な歌である。百人一首は一人につき一首ずつ一〇〇人の短歌を選んで作られた歌集であり、恋を題材にした歌が多

い。先の歌も、訳を確認すると恋の歌であることがわかる。「決して変わることがない」と約束したにも関わらず、心変わりしてしまった女性に宛てて、失恋した男性の代役として清原元輔が詠んだ歌である。ちなみに、この清原元輔はあの清少納言の父親だから、紫式部（清少納言とライバル関係）が主役の二〇二四年の大河ドラマ『光る君へ』のどこかで端役として登場するかもしれない。

さて話を戻すと、この歌のどこに災害の教訓が出ているかと言えば、「末の松山　波越さじとは」の部分である。「末の松山」は、宮城県多賀城市八幡にある景勝地である。海から二キロ程度の場所で、海抜も一〇メートルもないほどであるが丘陵になっており、古来より大きな地震が起こって大津波が発生したとしてもこの場所を越えることはない、と言われていた。

そして確かに、清原元輔（九〇八〜九九〇年）が生まれる四〇年前に起きた大地震、八六九年の「貞観地震」の時に、同じ地域にあった陸奥国の国府多賀城の周りが津波で水浸しになったにも関わらず、津波はこの「末の松山」のふもとまできたものの、越えることはなかったという。

このこともあり、それ以降も「末の松山」を波が越えることはあり得ないこととして扱われるようになり、和歌の世界では「末の松山」を「決して波が越えないように決して心変わりしない」という意味を持つ枕詞《まくらことば》として使われるようになったのである。この「貞観地震」が起きてからしばらくの間は、「末の松山」という文言が注目されていたようで、先ほどの『光る君へ』の主役紫式部による小説『源氏物語』の一節にも、次のように登場している。

うらなくも　思ひけるかな　契りしを　松より浪は　越えじものぞと

訳：無邪気にも、末の松山を波が越えないように、決して心変わり（浮気）をしないと言った貴方の約束を信じていましたのに

平安時代の短歌に好んで取り入れられた「末の松山」には、江戸時代前期に同じ俳諧《はいかい》人である松尾芭蕉がその場を訪れ、その様子を代表作『奥の細道』に紹介している。現在、この場所には清原元輔が眺めた松とは異なるものの、樹齢数百年の大きな松が二つそびえ立ち、記念碑が建てられている。この辺りでは、地震による津波がたびたび生じている。それを「末の松山」に見られるよ

うに、先人などは被害を軽減するために多くの言い伝えを残してきた。

そんな先人などの言い伝えを、街づくりに活かした戦国武将がいる。奥州の覇者、伊達政宗だ。政宗は一五六七年に米沢城に生まれ、一五九一年に行なわれた豊臣秀吉の奥州仕置きの際に拠点を岩出山城に移した。米沢城も岩出山城も、どちらも海から数十キロも離れた場所にあった。領地が海に面していることは重要な要素であり、港があれば交易により大きな富を生み出すことができる。その点から、政宗は海の近くに拠点を設ける構想を持っていたが、それが実現できたのは関ヶ原の戦いの後のことであった。徳川家康の許しを得て、拠点を仙台に移したのである。

この時、守りやすく攻めにくい山城の仙台城を普請《ふしん》したのであるが、この場所を選んだのには城の防御を重視すると同時に、やはり津波を警戒してのこともあった。仙台は、海から開けた仙台平野を持つが、その端の部分、海岸から一〇キロほど離れた場所に仙台城はあり、「末の松山」よりも内陸に位置している。そして城の本丸は、海抜一三〇メートルほどの丘陵性台地に建てられた。

津波を警戒したのは城の普請だけでなく、街道整備にも現れている。仙台藩のメインの交通網は、南北に縦断する奥州街道である。その奥州街道の整備は政宗が一六〇五年に着手し、政宗が晩年の頃には藩内の宿場町のほとんどが完成している。その奥州街道の位置を確認すると、海岸から一定の距離を保った場所を走っている。

このように仙台は、政宗によって津波を警戒した街づくりがされたわけだが、政宗が仙台に移ってから何度か地震とそれによる津波を経験している。その中で、規模の大きなものが二つあった。一つ目は一六〇五年の「慶長地震」とそれによる津波、そして二つ目は一六一一年の「慶長三陸地震」とそれによる津波である。それぞれ沿岸部では大きな津波の被害が出たが、仙台城や奥州街道まで津波が到達することはなかった。それだけではなく、今から十数年前のまだ記憶に新しい「東日本大震災」による巨大津波においても、どちらも被害を受けていない。そして、それは最初に紹介した「末の松山」においても同じことで、海岸から二キロ程度しか離れていない場所にも関わらず、津波が到達することはなかったのである。いかに、先人などの教えが重要であるかがわかる。

二〇一一年三月一一日、先人などの教訓は活かされず

天災に対するリスク管理および危機管理という点においては、戦国時代よりも現代の方がはるかにお粗末になっている可能性がある。特に二〇一一年三月一一日、「東日本大震災」の時における東京電力福島第一原発での対応は先人などの教訓をまったく活かしておらず、管理体制が体を成していない状態であった。まず、あの場所が問題である。海岸から距離を測るまでもなく隣接した場所に建てられているわけだから、当然津波を警戒するべきだろう。ところが未曾有の事故は起こり、その後の説明では「想定外」を繰り返すだけであった。地震の規模が想定外で、電源の全喪失も想定外、そして津波の規模も想定外であったという。

果たして、こんなお粗末なことが起こり得るのかと言えば、実はこの「想定

外」という説明は後ほど、真っ赤な嘘であったことがわかった。福島第一原発事故から半年後に、東京電力側が大規模な津波の可能性を事前に考えていたことが判明したのである。

二〇一一年八月下旬に新聞各社が報じた内容では、東京電力は二〇〇八年時点で、大地震発生時には一〇メートル超の津波と津波遡上《そじょう》高一五メートル超が起こり得ることを試算していたというのだ。そして、それに対する防波堤の大まかな工程や費用を算出し、完成までおよそ四年かかり費用が数百億円にのぼるという試算までしていたのである。

それにも関わらず、東京電力はこれに対する準備をまったく怠っていた。この点を指摘された東京電力側は、「試算はあくまで試算で、想定ではない」と過去の発言との整合性を取るためか、何とも苦しい言い訳をしていた。実は、この津波の試算については、大震災の直前の二〇一一年三月七日に東京電力が経済産業省の原子力安全・保安院に説明していたとも言われている。その際、保安院は東京電力に対して、そのまま放置するのではなく、試算結果を反映した設備の改修などの対策を早期に採るよう、口頭で指導したとされる。ただ、その直後に震災は起きてしまい、対処は間に合わなかった。

しかし、改めて考えてみるとこのような試算が二〇〇八年に初めてなされたという話が、そもそもおかしい。福島第一原発が作られたのは今から半世紀前のことで、一九七三年に一号機が稼働していた。本来であればこの時点、いや仙台の街づくりを行なった政宗のように、建設前の段階で津波による影響を十分に検証し、対策を立てておくべきであった。この辺りの地域は、これまでの歴史の中でたびたび地震が発生し、それによる津波の被害を被ってきているわけで、それにも関わらずきちんと試算をしたのが原発稼働から三〇年以上経った二〇〇八年のことであるならば、何とも情けない話である。

また、試算した結果、「これほどひどいことはまさか起こらないだろう。費用が数百億円もかかるのであれば見送ろう」と考えたのであれば、目も当てられない。リスク管理および危機管理という概念の欠如か、はたまた数百億円の費用をケチったか、そのために結果として二〇二一年度末までに一二兆一〇〇〇億円もの巨額の資金が、この福島第一原発の廃炉や賠償、除染などの費用としてすでにかかっているのである。

しかも、当初政府の試算では二一兆五〇〇〇億円かかるとされていた額をすでに半分超えているわけだが工程は予定よりも進んでおらず、実際にはさらに費用が発生する見込みである。下手をすると、この一連の費用で当初の倍以上の四〇兆、五〇兆円という莫大な資金が必要とされるかもしれない。

福島第一原発事故における一連の対応は、金銭的な面以外の被害も甚大であり、先人などの教訓を活かすことができなかった〝手ひどい失敗例〟と言える。

「南海トラフ地震」の被害総額は、「東日本大震災」の一〇倍以上

実は、先ほどの寺田寅彦の言葉には、天災に関連してもう一つ隠れた名言が存在する。それは「文明が進むほど天災による損害の程度も累進《るいしん》する」だ。これはまさにその通りで、福島第一原発の事故を見ても明らかである。しかも寺

田は、「一ヵ所に故障が発生すれば、その悪影響が全てに波及する」と言葉を繋《つな》げている。まさにこれは、現代において大きな天災が発生した際に被害が甚大なものになるメカニズムである。これが、今から九〇年ほど前に生きていた人物の言葉であるから、その先見の明には驚かされる。

これだけ文明が発達した現代において、一たび大災害が起きてしまうとその被害を最小限に食い止めるのはかなり困難である。よほどリスク管理をきちんと行ない、危機管理体制をしっかり構築しておかなければ不可能である。しかし残念なことに、この災害大国日本においても実際にそのようにきちんと対応している組織また個人は、皆無であろう。

先ほど東京電力の福島第一原発事故を失敗例としてご紹介したが、私たちはその事故を教訓とできているかどうかも怪《あや》しく、天災に対する防災意識と対策はどこも似たり寄ったりであろう。ほとんどは起きてから初めて慌てるわけで、〝ひょっとしたら〟という危険性については深く考えられることはなく、「天災だから仕方がない」と諦《あきら》めてしまう人がほとんどではないだろうか。

第一章で日本の財政は破綻寸前であることを指摘したが、ほとんどの日本人はこのことに真剣に考え取り組んではいないわけで、天災となるとそれと同じかそれよりもさらに危機意識は低いと言える。今起きていないことへの対応策はどうしても後回しにされ、そのまま放っておかれるのである。

しかし、この対応が将来致命傷になる可能性がある。というのも、次に起こる大災害により日本は甚大な被害、ひょっとすると復興不能に陥る可能性があるからだ。その大災害とは、「南海トラフ地震」「富士山噴火」そして「首都直下型地震」である。これらの大災害は、巷で騒がれている通り近い将来に起きても何ら不思議ではない。

特に、「南海トラフ地震」には注意が必要だ。「南海トラフ地震」は、その海域で起こる「東海地震」「東南海地震」「南海地震」の三つの地震または複合した連鎖地震を指す。やや不規則ではあるものの、九〇～一五〇年おきという周期性を持っていると言われている。前回、一九四四年の「昭和東南海地震」並びに一九四六年「昭和南海地震」が起きているため、その九〇年後の二〇三〇

〜二〇四〇年が警戒期間にあたる。

しかも、この「南海トラフ地震」は、厄介なことに三回ごとに規模の大きい超巨大地震が起きている。一九四四年と一九四六年に起きた地震のマグニチュードはそれぞれ7・9と8で、これでもかなりの規模である。その約九〇年前に起きた一八五四年の「安政南海地震」がマグニチュード8・4、そしてその前に起きたのはそこから約一五〇年前の一七〇七年の「宝永地震」で、その時のマグニチュードは先ほどの二回の「南海トラフ地震」を上回る8・6もあったという。ちなみにマグニチュードは地震そのものの大きさ（規模）を表す単位で、0・1大きくなれば約一・四倍大きくなる。そのため、先ほどの0・2の違いであれば単位としてはわずかな差に思えるかもしれないが、地震規模としては二倍の差が生じているわけで、決してわずかな差とは言えない。なお「宝永地震」の約三五〇年前の一三六一年にも、南海トラフ沿いで起きた「正平地震」と呼ばれる超巨大地震が発生している。

この三回ごとのタイミングで超巨大地震が発生するのであれば、恐ろしいこ

警戒すべき三大災害

南海トラフ地震

富 士 山 噴 火

首都直下型地震

とに次の「南海トラフ地震」はこの三回目に起きる超巨大地震にあたる。また、この三回ごとのタイミングで超巨大地震が発生することを〝スーパーサイクル〟という言葉で解説する専門家もいるが、その専門家によると層状に積み重なった化石から隆起の規模を判断することが可能で、過去五五〇〇年分の化石を調べたところ南海トラフにおいては少なくとも七回、普段と異なるスーパーサイクルによる巨大地震が確認できたという。そしてそれが最後に確認できたのが一七〇七年の「宝永地震」で、それ以降三〇〇年以上経過していることから、次の「南海トラフ地震」がやはり超巨大地震になる可能性が高いというのだ。

次の「南海トラフ地震」のマグニチュードは、事前に予測することは難しいものの、一説には「東日本大震災」の9よりも大きい9・1と言われている。これだけの超巨大地震となれば、被害はかなりの規模になる。特に「南海トラフ地震」はその範囲が広域におよび、近傍《きんぼう》に「太平洋ベルト」と呼ばれる大工業地帯・産業地域があるため、経済的な被害総額は「東日本大震災」の被害総額約二〇兆円の一〇倍以上の規模である二二〇兆円と試算されている。しかも、

繰り返し起こる南海トラフ地震

1361年	正平地震
1498年	明応地震
1605年	慶長地震
1707年	宝永地震
1854年	安政南海地震
1944年	昭和東南海地震
1946年	昭和南海地震
2030～2040年頃	？？？

※いずれもマグニチュード8クラスの超巨大地震

これは地震の直接的な被害によるもので、「東日本大震災」に見られた福島第一原発事故のような連鎖的な被害が起きれば、金額はさらに膨張する。

「南海トラフ地震」と「富士山噴火」

大地震が起きた際、真っ先に警戒すべきは〝津波〟である。海岸近くでの巨大地震になると、建物倒壊などによる地震そのものの被害よりも後から起こる津波の被害の方が大きいことはよくあることだ。過去の「南海トラフ地震」では津波による被害が数多く報告されており、一七〇七年に起きた「宝永地震」も例外ではない。地理的に高知や紀伊半島（和歌山と三重が中心）が津波の大きな被害を受けたが、人的被害が大きかった地域に内湾沿いの大坂（大阪）も挙げられる。

「宝永地震」が起きたのは江戸時代の中期で、政治の中心は江戸に移ったものの当時でも大坂は天下の台所と呼ばれ、人口約三五万人の大都市であった。この場所で、地震による死亡率が六％に達したという驚きのデータがある。これを伝えたのは静岡新聞で、記事では幕府による公のデータではなく、尾張藩士が災害などを記録した「朝林《ちょうりん》」のデータを取り上げている。それによると、「宝永地震」六日後の大坂では三五三七の家が潰れ五三五一人が圧死、一万六三七一人が津波で溺死したとある。この地域だけで「東日本大震災」と同等の、二万二〇〇〇人ほどの人的被害が出ているのである。しかも、地震そのものよりも津波の被害の方が約三倍にもなっているのは、注目すべき点である。

このように、地震は津波とワンセットで恐ろしい被害をもたらすが、この「宝永地震」ではそれだけでは済まなかった。地震から四九日後に、なんと〝富士山が噴火〟したのである（宝永大噴火）。大地震が火山噴火を誘発するメカニズムについては、科学的に証明されている。この富士山の「宝永大噴火」は、八六四年の「貞観大噴火」から実に八〇〇年振りの出来事であった。

「宝永大噴火」では主だった被害は火山灰で、一〇〇キロほど離れた江戸の町に大量の火山灰が降り注いだ。江戸の町でも昼間に行燈《あんどん》を付けなければならないくらい空が暗かったという記述が残っているところを見ると、よほど多くの火山灰が降り注いだのだろう。この火山灰は、かなり厄介な存在であった。「宝永大噴火」では約二週間噴火が続き火山灰が降り注いだわけで、灰を吸い込んでしまい咳《せき》や喘息《ぜんそく》などの呼吸器系の病気になったり灰が目に入ったりと、日常生活もままならない状態になった。長期に日光が遮断《しゃだん》されたことや灰が農地や畑に数センチにわたって積もったことで作物が取れなくなり、後の飢饉を呼び起こした。降り積もった灰に雨が降り注いだことで、水質が悪化した。また、灰が流されたり別の場所で滞留したりすることで河川の氾濫や土石流が発生するなど、その後長年にわたって問題が生じることになった。

この「富士山噴火」は、次の「南海トラフ地震」の時には起こるべきこととして十分に想定しておく必要がある。富士山は一七〇七年の「宝永大噴火」以降、三〇〇年以上も大人しく鎮座しているが現役の活火山であり、むしろ長期で噴火が起きていないだけにエネルギーがたまりにたまっている可能性が高い。「南海トラフ地震」のような巨大地震が起きれば、誘発されることが十分考えられるのである。

では、今富士山が噴火すれば、どれほどの被害が出るのか。二〇〇四年に内閣府が発表した被害想定では二兆五〇〇〇億円を見込んでいるが、「宝永大噴火」のような大規模なものであればそれだけで済むはずがない。もし今、東京に火山灰が数センチ積もるようなことになれば、瞬く間に首都機能は崩壊するだろう。

まず、物流が全滅する。自動車の吸気部分に灰が吸い込まれると、エンジンのフィルターは詰まり走行できなくなる。そうでなくても路面に一センチ積もればスリップが多発し、普通の運転は困難である。鉄道は、さらに微量の灰で運転不良となり、飛行機や船も自動車と同じで吸気部分に灰が侵入するとエンジントラブルを起こしてしまう。

次に、電気、水道などのインフラ設備も使えなくなるか、従来の半分くらいの機能に低下する可能性が高い。発電所は、空気を取り込むところに灰が吸い込まれるとやはりフィルターが詰まる。降り積もった火山灰により上下水道が詰まることも考えられる。パソコンなどの電子機器類も、灰を取り込むと故障の原因になる。他の精密機械も同様である。

このように例を挙げればキリがないが、このような想定は先ほどの二兆五〇〇〇億円の被害総額には組み込まれていないという。もし、これらの被害を想定すると被害総額は一〇〇兆円、下手をすると先ほどの「南海トラフ地震」と同程度の二〇〇兆円にものぼると言われている。そして恐ろしいことに、「南海トラフ地震」と「富士山大噴火」は同時発生する恐れがあるとのことで、そうなれば被害総額は三〇〇兆、四〇〇兆円にのぼる計算となる。

「首都直下型地震」は「火災旋風」に要注意

「南海トラフ地震」と同様に、いつ起きても不思議ではないと言われているのが「首都直下型地震」である。

「首都直下型地震」が語られる際によく、「三〇年の間に起こる確率が七〇％」

1703～1923年に起きた首都直下型地震

1703年	元禄関東地震
1782年	天明小田原地震
1853年	嘉永小田原地震
1855年	安政江戸地震
1894年6月	明治東京地震
1894年10月	東京湾付近の地震
1895年	茨城県南部の地震
1921年	茨城県南部の地震
1922年	昭和南海地震
1923年	関東大震災

※1703年元禄関東地震と1923年関東大震災は
マグニチュード8クラスの超巨大地震、
それ以外はマグニチュード7クラス

という数字が登場する。これは二〇一四年に政府の地震調査委員会が示した数字で、一七〇三～一九二三年までに起きた南関東におけるマグニチュード7クラスの地震の発生回数を元に予測されたものである。この二二〇年の間にその規模の地震が八回発生していることから、地震発生確率の計算方法に則って出したのが〝三〇年で七〇％〟という数字である。

ただ、このような専門的な計算をしなくても二二〇年で八回も巨大地震が発生しているわけで、いかに関東地域が地震の頻発《ひんぱつ》地域であるかがわかる。その頻発地域において、一九二三年に起きた「関東大震災」を最後に巨大地震が起きていないわけで、「南海トラフ地震」や「富士山噴火」と同様にエネルギーがたまってきており、いつ起きても不思議でないことがご理解いただけるだろう。

実際に、「首都直下型地震」が起きた際の被害想定として、内閣府は二〇一三年一二月一九日に「首都直下地震の被害想定と対策について（最終報告）」を公表している。その中で、建物の崩壊と市街地火災などによる人的被害の人数を最大二万三〇〇〇人、そして被害総額を九五兆円と見積もっている。

しかし地震の専門家に言わせると、この見積りは「火災旋風」の発生を十分に織《お》り込んでいないと指摘している。もし、この「火災旋風」の発生を考慮すると人的被害は一桁も二桁も多くなり、被害総額も跳ね上がるそうだ。

この「火災旋風」とは火炎を含んだ竜巻状の渦《うず》で、一九二三年の「関東大震災」の時には工場の跡地であった空き地に襲来してそこに避難していた約四万人に襲いかかり、そのうちなんと三万八〇〇〇人もの人が亡くなったという記録がある。「関東大震災」は日本の自然災害史上最悪の被害で死者・行方不明者一〇万五〇〇〇人であるが、そのうち火災による死者が九万二〇〇〇人と圧倒的多数を占め、いかに「火災旋風」が猛威を振るったかがわかる。

そして火災関連でもう一つ、首都直下型地震において注意するべき点がある。それは、「南関東ガス田」である。「南関東ガス田」とは、千葉県を中心として関東地方一円に広がる国内最大の水溶性天然ガス鉱床、つまりガス田のことである。このガス田に絡《から》む事故には、二〇〇七年六月に起きた「渋谷天然温泉爆発事故」が挙げられる。温泉と一緒に汲み上げられたメタンガスが、何らかの原因で引火爆発したものである。メタンガスは常圧では水に溶《と》けないが、地下深くの高圧になれば溶けるようになる。温泉施設ではこのメタンガスを含んだ温泉を地表まで汲み上げており、その際圧力が下がったことで温水から分離したガスに引火したのである。

実は、一九二三年の「関東大震災」の際に火災の被害が大きかったことの要因として、この関東の地下に拡がる巨大なガス田の存在を挙げる研究者もいる。いずれにしても、将来起こるであろう「首都直下型地震」によって巨大なガス田から至るところで地表にガスが噴き出すことになれば、東京を中心とした首都圏は火の海に包まれ、火災による被害は格段に跳ね上がるだろう。

下手をすると、日本は〝復興不能〟に

再度お伝えすると、「東日本大震災」における福島第一原発事故の被害総額はすでに想定をはるかに超えようとしている。そもそも、「東日本大震災」の被害

警戒すべき三大災害の想定被害総額

南海トラフ地震
220兆円

富士山噴火
100～200兆円

首都直下型地震
100兆円

※あくまで直接の被害総額で二次被害でさらに膨らむ可能性あり。またそれぞれの災害が連鎖的に発生する可能性あり。

総額約二〇兆円という数字は直接受けた被害に対するもので、二次被害であった「福島第一原発事故」の被害額は含まれていない。このように考えると、「南海トラフ地震」の二二〇兆円、「富士山噴火」の一〇〇～二〇〇兆円、「首都直下型地震」の一〇〇兆円といった試算も、それぞれ被害総額をそれなりに辛口で見積もったはずではあるが、そこから二次被害でさらに膨らむ可能性すらある。また、三つの災害が連鎖的に発生し、被害総額が莫大なものになる可能性も否定できない。そうなれば、日本は復興不能に陥るだろう。

「天災は忘れた頃にやってくる」そして「文明が進むほど天災による損害の程度も累進する」。今こそ寺田寅彦の教訓を活かし、来《き》たるべき大災害に備える時がきている。

第三章　台湾有事と北朝鮮暴発

殺すより盗むがよく、盗むより騙すがよい。

（ウィンストン・チャーチル）

歴史は繰り返す――「米中問題」という歴史の必然

一九四五年九月二日、東京湾に停泊する米軍の戦艦ミズーリで歴史的な式典が行なわれた。これに先立つ八月一五日、日本がポツダム宣言を受諾し、連合国に降伏したことを受けて執《と》り行なわれた降伏文書の調印式だ。

この調印式をもって、第二次世界大戦は正式に終結した。ナチスドイツがポーランドに侵攻した一九三九年九月からちょうど六年、世界中の主要国を巻き込んだこの戦争では、大型空母や本格的な空戦、戦闘用車両や戦車、そして核兵器を筆頭にした破格の破壊力を持つ爆弾など、大量破壊・大量殺戮が容易な兵器が導入されたこともあり、その爪痕《つめあと》も極めて大きなものとなった。

この戦争によって、推定で五〇〇〇万～八〇〇〇万人が死亡したと言われ、負傷者や家を失った人々などを含めると数億人が戦争による被害を受けたとされる。人類史上最大にして最悪のこの戦争によって、人類は戦争の悲惨さ、恐ろしさを改めて知り、そして平和維持への決意を新たにした。

この戦争の終結にあたって、連合国の首脳はドイツのポツダムで会談を開き、戦後処理に関する最後の会談を行なった。有名な「ポツダム会談」だが、この時参加していたのはアメリカのトルーマン大統領、イギリスのチャーチル首相、そしてソ連のスターリン書記長だった。それぞれ利害が異なる三ヵ国のトップは、しかし世界に平和をもたらすべく対面し、そして握手を交わした。

ただ残念なことに、その歴史的瞬間からわずか数年後、「戦争に懲《こ》りた」はずの人類は再び深刻な「危機の時代」に突入することとなる。世界に平和をもたらすべく集まった三ヵ国のうち、アメリカとソ連による政治思想の対立が新たな火種となり、世界中を巻き込んだ「冷戦」に突入したのだ。

冷戦を特徴付ける決定的な要因として挙げられるのが、第二次世界大戦末期に使用された「核兵器」だ。一発で、大軍隊はおろか大都市までを瞬時に壊滅させられる攻撃能力は、それまでの戦争のあり方を大きく塗り変えた。何しろ、核保有国間で一たび核兵器が使われればそれは「核の応酬」となり、あっという間に両国が滅亡しかねないのである。

第二次世界大戦後、世界の国々を駒として共産主義と自由民主主義という、正反対のイデオロギーを振りかざして「オセロゲーム」にのめりこんだ米ソは、互いに核開発を極限までおし進めた。しかしながら、両国は実際には軍事力を行使するのではなく、互いを威嚇恫喝《いかくどうかつ》する形での冷たい戦争を繰り広げた。現実に戦端が開かれ血が流れたのは、朝鮮半島や中東・アフリカ、東南アジアなどの二大陣営の闘争の狭間《はざま》に陥った国や地域だった。

苛烈を極めた軍拡と威嚇恫喝の闘争は、果たして直接的な軍事衝突を一度も経ることなく終焉を迎えた。そのきっかけは、一九八九年の「ベルリンの壁」の崩壊だ。この事件を境にして、旧共産圏の東欧諸国が次々とソ連陣営から離脱、ソ連共産党の権威は失墜し、ソ連邦を構成する共和国までもがすべて独立を宣言する事態となった。こうして一九九一年一二月、ソ連は崩壊した。

ソ連崩壊の要因は、政治的な観点で言えばソ連共産党の権威失墜によって共産主義陣営を統制しきれなくなったためであるが、その要因をさらに端的に言えば、ソ連をはじめとした共産主義陣営の経済の崩壊がその根本にある。

社会主義経済による弊害で共産圏の各国は長期にわたって経済が停滞していたが、情報統制によって何とか国民の目を欺《あざむ》いてきた。しかし、西欧メディアの情報が徐々に共産圏に流れるにつれ、西側諸国との圧倒的な経済格差に国民の不満は高まりを見せた。また軍拡競争が著しい財政負担となり、国家運営は年を追うごとに急速に厳しさを増して行った。事実上の財政破綻と経済的な国力低下によって社会の統制ができなくなり、ベルリンの壁は破壊されるがままとなったのだ。

およそ四〇年にもわたって繰り広げられた、「冷戦」という名の米ソの覇権闘争は、自由・民主主義を掲げるアメリカと西側諸国の勝利に終わった。世界中の人々は、恐怖や不安が常に付きまとう世界から脱してアメリカ一強の覇権が長く続く平和な時代が到来するという希望を抱いた。「パックス・アメリカーナ」――ローマ帝国時代の二〇〇年にわたって続いた平和な時代になぞらえ、自分たちの未来に待ち受ける平和をそう称して歓迎したのだ。

しかし、現実はそう簡単なものではなかった。九〇年代にアメリカ一強になった世界には、新たな問題が噴出した。冷戦構造下でそれまで抑圧されていた「民族主義」が世界各地で台頭し、「民族紛争」が人々を苛《さいな》んだのである。さらに二〇〇一年九月には、「アメリカ同時多発テロ」が勃発。以降、先進諸国は「テロ」という、これまでとはまったく性質の異なる敵に挑戦することとなった。

やがて二〇一〇年代に突入すると、それまで「成長著しい新興国」の一角にすぎなかった中国が、次世代の覇権国家としての存在感を一気に発揮し始める。一方のアメリカはかつての輝きを徐々に失いつつあり、中国の台頭への危機感を急速に高めて行くこととなった。結局、世界は多くの人々が望む平和とは裏腹に、どこまで行っても争いが絶えず、常に不安や恐怖と共にあったのである。

二〇二三年の今、米中摩擦は世界中が動静に細心の注意を払う最大の問題である。米ソ冷戦時代の覇権闘争は軍備拡張と威嚇恫喝、そしてそれぞれの所属陣営の拡充という、より軍事衝突に直結しかねない方法で争われてきた。

しかし米中は、現在までのところ経済を主戦場にしてしのぎを削っている。

アメリカと中国は経済面において競争するものの、互いに相手方の経済に依存する構図となっており、一方的に相手を駆逐《くちく》すればよいという問題ではなく、その意味では冷戦時代に比べればはるかに平和的な方法と言えなくもない。

しかし、だからと言って武力衝突が起きないという保証はまったくない。米ソ冷戦と比較すれば、米中の直接衝突の可能性は高くはないかもしれない。しかし、その周辺において代理戦争的な武力衝突が起きる可能性は非常に高い。こと日本に関して言えば、地理条件、経済、地政学、歴史などあらゆる観点で米中摩擦の直接的な利害関係に関わっている。したがって、日本周辺で何らかの紛争や武力衝突、事件が起きる危険性な極めて高いと見積もっておくべきだ。

こうした話をすると、多くの日本人が「この平和な時代に、まさか」と言うだろう。何しろ、戦後八〇年近くが経ち、日本は祖父母たちすら戦争を知らないという世代が社会を支えるようになった。「これから戦争が起きる」などと言っても、にわかには信じられないだろう。親が戦争世代だった中高年ですら、大半が「戦争なんて実感がわかない」と言うかもしれない。

しかし残念ながら、それは完全なる平和ボケである。私たちの周りには、戦争のリスクが付きまとっている。しかもそれは、他国と比べても破格に巨大なリスクである。よく考えればわかることだ。国際社会の批判をものともせず、ウクライナ侵攻を敢行するプーチン・ロシア、核開発とロケット試験に明け暮れ、恫喝によってアメリカに挑《いど》まんとする北朝鮮、そしてアメリカから覇権を奪うべく虎視眈々と力を蓄える中国――いずれ劣らぬ強面の独裁国家が隣国に揃っているのだ。海を隔てているとはいえ、太平洋や大西洋ほどの距離はなく、日本国内の大都市はすべてこの三国のミサイル射程圏内にある。彼らの思惑次第で日本やその周辺が実力行使の最前線に様変わりすることは、想像にたやすいだろう（ロシアにとってのウクライナがまさにそうであったことを想起《そうき》いただきたい）。

私たち日本人は、望むか否かに関わらず大国の思惑に常に翻弄される危険がある、という事実を改めて胸に刻まねばならない。そして、覇権闘争の現状と未来について、よく知っておく必要がある。少々長くなるが、なぜ中国が拡張主義的になり、またかつての平和路線を捨てて実力行使も辞さないとする「大国主義的」な態度に変じたのかを見て行こう。

中国の雌伏《しふく》と台頭

さて、中国が覇権への野望を明らかにしたのはいつからか。議論がわかれるところだが、あえて挙げるとすれば習近平《しゅうきんぺい》総書記が就任から間もない二〇一二年一一月に行なった、「中国夢」発言がそれにあたるだろう。

その内容は、「小康《しょうこう》社会の全面完成」「富強・民主・文明・調和の社会主義現代化国家の完成」「中華民族の偉大な復興」という国家ビジョンだが、これは単に「強く豊かで国民も幸せな国」というだけには留まらないゴールが設定されている。その最大のポイントが、「中華民族の偉大なる復興」という文言だ。

「中華民族の偉大なる復興」とは、何のことなのか。これを知るには、歴史を紐解《ひもと》く必要がある。近代中国は一九世紀の西欧列強のアジア進出以降、蹂躙《じゅうりん》され雌伏の時を過ごしてきた。その起点は、一八四〇年に清朝中国で勃発したアヘン戦争だ。イギリスは清朝へのアヘンの密貿易によって莫大な利益を上げていたが、清朝はアヘンによる民衆への害と社会の荒廃、さらに銀の大量流出を食い止めるため、アヘンの流入を停止する強硬手段に出た。イギリスはこれに抗議し開戦に踏み切り、圧倒的な軍事力で清朝に勝利した。

一八四二年に締結された南京条約では、香港島のイギリスへの割譲や五港の開港などが決められた。乾隆《けんりゅう》帝や雍正《ようせい》帝の時代にかけて、版図を拡大してきた「大帝国」清朝が、その領土を奪われた最初の出来事となった。

そしてこの後、清朝は次々と西欧諸国に領土を奪われる。ハバロフスクやウラジオストクは清朝の領土だったが、一八五八年のアイグン条約と一八六〇年の北京条約によってロシアに奪われた。マカオは一八四九年にポルトガルに行政権を奪われ、事実上のポルトガル領となった。またビルマがイギリスに、ベトナムがフランスに植民地化されるなど、冊封《さくほう》・朝貢《ちょうこう》（一一〇ページ参照）を行なっていた周辺国も次々と植民地化された。もちろん、ドイツやアメリカもここに食い込んで行った。ドイツは山東半島を、アメリカはフィリピンを事実上の植民地として切り取って行った。

列強諸国が奪ったのは、領土だけではない。貿易における税関管理を手中にし、さらには鉱山開発や鉄道建設などの開発利権までも清朝からもぎ取った。ドイツが膠州湾《こうしゅう》を、ロシアが旅順や大連を、フランスが広州湾を、イギリスが威海衛《いかいえい》をというように、主要都市や港湾はなかば奪われるように列強の租界（行政自治権や治外法権を持つ居留地）になった。

こうした列強の動きに、日本も遅れまいと中国の切り取りに参画した。一八九四年、李氏朝鮮での農民反乱を契機に朝鮮半島に進軍、その後清朝との戦争に突入する。日清戦争だ。一八九五年、この戦争に勝利した日本は下関条約によって台湾を領土化し、二億両の賠償金も獲得した。

ハイエナが獲物を食いちぎるかのごとく、列強と日本が清朝の領土を食いちぎって行った。清朝も事態を打開すべく対外政策を見直し、近代国家への脱皮を図ったものの、挫折する。一方、清朝の民衆たちは自国を分断して行く列強に怒りを覚え、次第に国を守るために団結しようという思想が形成されて行く。中国ナショナリズムの形成である。時を経てこれが大きなうねりとなり、やがて辛亥革命に結実した。一九一一年、孫文らが中心となって清朝を倒し「中華民国」を樹立したのである。

近代国家への変貌を遂げた中国は、しかし国土の回復を果たすことはできなかった。その後勃発した二つの世界大戦においても、いずれも中国は戦勝国となっているが、それでも奪われた国土は戻ってこなかったのだ。両大戦共、中国の同盟相手は領土を奪った列強諸国だったためだ。また、列強に対して強硬な態度に出られるほど軍事力も国力もないため、この時期に「領土を返せ」などとは言えなかったのだ。

こうして、国土を奪われたという「怨念」といずれ国土を回復するという「執念」は、中国に亡霊のごとく根付いた。共産党と国民党による内紛を経て、一九四九年に中国共産党による中華人民共和国が樹立すると、国土回復の執念は共産党に引き継がれた。

ただ、その後の道のりも紆余曲折だった。建国の父である毛沢東《もうたくとう》は、初め「穏健で秩序ある改革」による新民主主義社会の建設を進めていたが、大躍進政《だいやくしんせい》策《さく》の失敗から劉少奇《りゅうしょうき》副主席に譲った地位を取り戻すべく、突如として急進的な社会主義を志向し、「文化改革運動」を展開する。その実態は劉少奇との権力闘争であり、強硬な弾圧によって国内は大いに荒れ、経済は停滞した。世界は米ソ冷戦の只中にあったが、中国はそれまで蜜月であったソ連とも決別し、アメリカとも距離を置き、「第三世界」の立場を明確にして孤立する。もちろんその間、中国の国土回復の念願も遅滞した。

一九七八年、毛沢東の死によって指導者となった鄧小平《とうしょうへい》は、前政権による経済停滞と社会の疲弊から脱却すべく、「改革開放」へと舵を切った。これは対外貿易の拡大、経済特区の整備、外資の利用、市場経済の導入など経済の「改革開放」を行なうというもので、「豊かになれる条件を持った地域、人々から進んで豊かになろう」という「先富論」がその基底にある。折しも、米ソ冷戦が一九六〇年代に膠着《こうちゃく》期に入りベトナム戦争が泥沼化する中で、アメリカは中国の活用を模索しており、一九七二年にはニクソン大統領の中国訪問など国交回復への道筋を探っていた。そして、鄧小平が政策転換を行なったまさにその年に、アメリカとの国交正常化もなされた。経済成長への条件が整ったのである。

中国の経済開放は、政治体制は社会主義を堅持するというある種特殊な形で行なわれた。改革は中国に急激な経済発展をもたらしたものの、その一方で極端な貧富格差や、環境やモラルなどに配慮しない極端な利益至上主義が横行するなど、大きな弊害ももたらした。

冷戦末期になると、世界中で民主化の機運が高まった。中国の近隣でもその動きは活発になり、一九八七年には台湾で戒厳《かいげん》令が解除、韓国では民主化宣言が出されるなど民主化が進み、この影響が遅れて中国にも波及する。

そして一九八九年、大事件が勃発する。天安門広場で民主化を求めるデモ隊に軍隊が武力行使した「天安門事件」だ。中国政府の非人道的な対応に対して、アメリカをはじめ西側諸国は一斉に批判を浴びせ、経済制裁を行なった。以降、国際社会で孤立を深めた中国は、「韜光養晦《とうこうようかい》」（才能を隠し、うちに力を蓄える）

を外交・安保の基本方針に据え、国土の回復と中華民族の復興という野心をひた隠しにして国力の涵養《かんよう》に努めた。

一九九七年、鄧小平の後を継いだ江沢民《こうたくみん》も経済重視路線を踏襲する。二〇〇〇年代に入ると「新興国」の経済成長が顕著となり、中国はますます国力を蓄えた。もちろん、いまだアメリカの背中は遠く、世界第二位の経済大国日本にもおよんでいない。さらに経済重視路線の弊害がより顕著になり、内政は難しさを増していた。深刻な経済格差、重大な健康被害をもたらす公害問題、一人っ子政策によって急速に進む少子高齢化、社会保障制度の不備……二〇〇三年に国家主席となった胡錦涛《こきんとう》は、結局こうした内政問題に追われて中国の悲願にまではたどり着けなかった。

しかし、ここに大きな転換点が到来する。リーマン・ショックに端を発する世界的な金融危機の到来だ。比較的ダメージが軽かった中国は、世界経済をけん引する動きを見せ、先進諸国が金融危機から脱却するために欠くことのできない重要なプレーヤーとなった。また、これまでに蓄えた経済力を用いて軍事力も増強させた。アメリカに次ぐ世界第二位の経済大国にのぼり詰め、いよいよ覇権まで手が届くところに到達したのだ。

かくして、中国は悲願成就に向け、対外姿勢を大きく切り換えた。前述した、二〇一二年の習近平主席の就任後の「中国夢」発言である。

ただこのスローガンは、中国の公式見解によるとあくまで中国が「昔の輝かしい中国を取り戻そう」と言っているだけであって、中国としてはアメリカに代わって覇権を奪取するという意図はないとしている。また、「中国の社会主義強国は道なかばで、さらなる国民の奮闘を期する」というメッセージとも言われている。習近平もこのスローガン発表の前後で、「覇権を唱えず、世界を主導することも求めない」という趣旨の発言を繰り返している。アメリカに対しては、あくまでも共に大国らしい対等な関係を望んでいるという。もちろん、現時点ではアメリカをしのぐ力を持っていないため、仮に覇権への野心を持っていても「野心はありません」と言うに決まってはいるのだが、中国はあくまで「中華民族が最も栄えていた頃に回復する」までを目指すのだとしている。

果たして、仮に覇権は目指さないという言葉が本心だとして、問題は二つあるだろう。まず、彼らはいつの時代の領土まで回復することを望んでいるのか、という点だ。単に清朝の国土を指すなら、香港、マカオ、ハバロフスクやウラジオストクなど現在の極東ロシア地域を取り返すということだが（中国は台湾も入れている。ただし後述するが歴史的に考えると微妙）、もし冊封・朝貢国までを自国の影響圏として回復することを望んでいるとすれば、コトはかなり重大である。何しろ、ミャンマーもベトナムもフィリピンも韓国も、そしてわが日本の一部である沖縄（琉球）も朝貢国だったのだから、これらを事実上併呑《へいどん》し、アジアの地域覇権を取るという話になってくる。私は、中国は明らかにこの後者、すなわち地域覇権までを見据えていると見ている。

そしてもう一つの問題は、そういう状況を現在の覇権国家であるアメリカが許すのか、という点だ。これについては様々な論があるが、率直に言ってアメリカは決してそれを許さないだろう。その理由はいくつもあるが、まずは一つ目の問題、「中国は、どこまで国土回復を狙うのか」について見て行こう。

中国の領土への野心

習近平の「中国夢」発言に先立つ二〇一一年、中国共産党は「中国の平和的発展」と題した白書を発表している。その中に、次のような記述がある。

中国は断固として国家の核心的利益を守って行く。中国の核心的利益には、国家の主権、国家の安全、領土の保全、国家の統一、中国の憲法が確立した国家の政治制度と社会の大局安定、経済社会の持続可能な発展の基本的保障が含まれる。

いわゆる中国の「核心的利益」であるが、これがどのような位置付けであり、これを侵害される場合にどのような対応を取るのかについて、正式な見解は示されていない。しかしながら、特に領土の保全や国家主権、国家の統一に関して、武力行使を含めたあらゆる措置を講じることが容易に想定される。つまり、非常に簡単に言えば「核心的利益に手出し、口出しする奴は、容赦なく叩きのめす」ということだ。

実際、「領土の保全」「国家の主権」「国家の統一」を確立するため、人権侵害や弾圧、他国への領域侵犯など、先進国なら考えにくいような強硬的な手段に出ていることは周知の通りだ。新疆《しんきょう》やチベットでの人種弾圧は、私たち西側諸国の論理で言えば不可解極まりないが、中国からしてみれば「海外勢力と連携して独立を志向する勢力が行なう『領土を切り取り、国家主権を損ね、国家統一を乱す』企てであり、『核心的利益を侵害』しているために行なっている行動」である。新疆やチベットは中国の国土であるから、完全なる統一を行なうことが中国にとって正しいことなのだ。

もし、他国がそうした中国のやり方に「人権侵害だ！」と騒ぎ立てるのであれば、中国にとっては内政干渉であり（あくまで自国内の闘争という論理）、国際法の「内政不干渉の原則」に反するということだ。二〇一九年に起きた香港の民主化デモを徹底的に弾圧したのも、中国共産党にすれば新疆、チベットと同じ論理であって、ある意味で非常に一貫性のある対応と言える。

そして中国は、台湾も「核心的利益」であるとしている。つまり武力行使も辞さず、完全なる統一を目指すことがゴールである。ただ台湾は、単に「中国の領土だった」という話とは若干異なる意味合いがある。ここで少し、台湾の位置付けについても触れておこう。

極めて戦略性が高い「台湾という島」

台湾が歴史に登場するのは意外に遅く、一六世紀頃のことである。それまではマレーポリネシア系の先住民が住んでいたが、島の戦略的な重要性に目を付けたオランダやスペインが東アジアの拠点と位置付けたのだ。一七世紀初頭にはオランダの東インド会社が領有し統治するも、一七世紀中頃には駆逐された。大陸で明朝が滅亡し清朝が台頭したため、鄭成功《ていせいこう》を筆頭とする反清勢力が台湾に逃げ落ち、統治を行なったのだ。

その後、清は反清勢力撲滅のため台湾に侵攻し鄭氏を討つも、島の領有には消極的であった。一九世紀末に日本に割譲されるまで、台湾は長く「化外《けがい》の地」（中国皇帝の支配地ではなく、中国文明に属さない土地）として扱われてきた。

一八九五年、台湾は日清戦争に勝利した日本の統治下に置かれる。ここで初めて台湾で本格的な近代化が進んだ。農業振興、産業保護、交通網整備、水利、教育など、台湾に文明的な様々なものが持ち込まれたのである。こうした事情から、台湾では今でも一部の高齢者が日本語を話せる他、日本の風習を随所に感じられる場所も多く、また親日的な人も比較的多い。

一九四五年、第二次世界大戦の終戦によって台湾は、日本から中華民国の領土となる。また、一九四九年には中国本土の第二次国共内戦に敗れた蒋介石《しょうかいせき》が台湾に逃れて中華民国を樹立、これが現在まで続いている。

ただし、台湾自身は主権国家を自任しているものの、その主権を承認しているのはわずか一三ヵ国とバチカンのローマ教皇庁のみで、国際的には「中国の一部」という理解がなされている。

そもそも、台湾を巡っては歴史解釈上の齟齬《そご》がある。中国共産党は、清朝の歴史を持ち出して中国領を主張するのに対し、台湾人は辛亥《しんがい》革命以降において中国の一部だったことは一度もなく、また清朝時代の台湾は「化外の地」だったことから台湾は中国ではないと主張している。歴史に根拠を置く中国共産党の論理で言えば、本来、台湾は中国の領土ではないという話になるはずだ。清朝時代に「形式的に領有」していたとはいえ、実質的には「化外の地」であり、他の冊封・朝貢国より遠い扱いであったと推察されるためだ。

ではなぜ、国際社会からの圧力をものともせず強硬に台湾の統一を望むのか。それは、台湾が中国の「本当の野望」に必要不可欠な戦略上の要衝《ようしょう》だからだ。

読者の皆さんは「第一列島線」「第二列島線」という言葉をご存じだろうか。私の書籍を一通り読んでいる方や、台湾問題に詳しい方ならご存じだろう。元々は、一九八二年に中国人民解放軍が作成した軍近代化計画の中の概念だが、冷戦終結後に中国の仮想敵国がソ連から台湾を支援するアメリカに変わったことで、それまでの陸軍重視から海軍重視への方針変更がなされた。それまでの「沿岸海軍」から「近海海軍」に変革するにあたって、重視されたのがこの考え方である。

第一列島線とは「中国が勢力圏を確保するため、海洋上に独自に設定した軍事的防衛ラインの一つ。九州沖から沖縄、台湾、フィリピンを結び南シナ海に至る。中国が台湾有事を想定し、米軍の侵入を防ぐ自国防衛の最低ラインとしている」（日本経済新聞きょうのことば）というもので、こうした構想の存在自体が台湾への軍事進攻が明確に想定されている証拠となっている。

そして、台湾近海にはバシー海峡など貿易航路の要所があり、特に日本のシーレーンとして死活的である。逆に言えば、中国にとって台湾を押さえる意義は、「日本をはじめとする東アジア諸国に対する経済面での死活的影響力」と言い換えることもできる。

さらに、この第一列島線には中国の海洋開発の野望も含まれている。中国は、第一列島線区域内の海域を「海洋領土」と呼び、海底資源などの開発も企図し

中国が定める対米防衛線
ロシア
モンゴル
北朝鮮
韓国
日本
中国
第二列島線
台湾
第一列島線
バシー海峡
ラオス
フィリピン
カンボジア
ベトナム
マレーシア
シンガポール
インドネシア

ている。すでに南沙《なんさ》諸島などに勝手に岩礁《がんしょう》を作り、開発を進めている通りだ。これは、国家の「核心的利益」にある「経済社会の持続可能な発展」にもつながるものだ。そして、この第一列島線の周辺地域とはかつて朝貢貿易を行なっていたとするシンガポール、インドシナ半島、琉球などが含まれており、明らかにその版図の回復を意識している。しかも、中国の教科書にはこれら地域が「清の版図でありながら列強に奪われた中国固有の領土」と明記されており、「戦略的辺疆《へんきょう》」（辺境）として中国が保全すべきとしている。

もう明らかだ。中国は、かつての冊封・朝貢国までを版図として見据えており、東アジア全体にその覇《は》を唱えるつもりなのだ。

その説をさらに補強するのが「第二列島線」だ。第二列島線は、伊豆諸島を起点として、小笠原諸島、グアム・サイパン、パプアニューギニアに至るラインである。この防衛線は、「台湾有事」の際には中国海軍が米海軍の増援を阻止・妨害する海域として認識されている。ここまでくると、もはや「近海海軍」ではなく完全なる「外洋海軍」の構築を意識している。

外洋海軍とは、非常に大雑把に言えば自国から遠く離れた海域で制海権を行使できる能力のことで、中国海軍はいまだその能力を保有していない、あるいは限定的にその能力を保有しているとされる。現在、外洋海軍を保有しているのはフランス、インド、イギリス、アメリカとされ、ロシアはソ連崩壊以降その能力を失っていたが、近年再びその能力を獲得しているとの評価がある。中国は、外洋での海軍力を強化することで西太平洋を制することまでを目指しているのだ。

さて、こうした海域を想定して軍の増強を図っているということは、当然それに相応しい政治・外交目標を持っているということだ。二〇一七年一一月九日、習近平は当時のトランプ米大統領との首脳会談後に、共同記者会見で「太平洋には中国とアメリカを受け入れる十分な空間がある」と発言し、太平洋の西側進出の野望を匂わせて世界的に物議を醸した。

実はこの発言、「うっかり」とか「思い付き」ではない。これに先立つ二〇一〇年、アメリカのティモシー・キーティング前太平洋司令長官が二〇〇七年五月の訪中時に、中国のある高官から「ハワイを基点に太平洋を東西にわけ、米中で分割管理しよう」と提案されたことを明かしたのである。中国が壮大な野心を持っていることを明らかにした告白であり、これも大いに物議を醸したが、習近平の発言はまさにこの高官の話を多少ニュアンスを和らげて繰り返したものである。いずれの発言も、第二列島線の構想を基本とすればまったく意外性はない上、こうして折に触れて公にしているということは、中国が本気でこの構想を実現しようとしていることは明らかである。

もし仮に、中国が第二列島線を包摂《ほうせつ》するほどまで強大になったとしたら、果たして日本はどうなるのか。これを想像することはなかなか難しいが、国家運営は相当に難しいものとなるだろう。仮に、日米安保が堅守《けんしゅ》され引き続き西側陣営に付いていたとしても、国の周りは中国海軍に取り囲まれ、様々な制約を受けるだろうことは必至だ。海洋開発、漁業、貿易など、日本の経済活動の相当な部分を中国に握られることになり、アメリカとの安全保障上の連携も大きく制限される。現実的には、六〇〇年前の室町時代に明と行なっていた朝貢貿易のように、中国に頭を下げて「みかじめ」を払うといったことも行なわれるのかもしれない。

最悪の場合、西日本が中国の属州になる可能性もあるだろう。第二列島線が小笠原諸島を含んでおり、東京以西が中国海軍の戦略的要衝となるためだ。「まさか！」と思われるかもしれないが、中国という国は歴史的に「自分たちが世界の中心」と考えてきた国である。まったくあり得ない話ではないだろう。

「中華思想」を巧みに操り、「膨張主義」に邁進《まいしん》する中国共産党

中国の「復古主義」の形を借りた膨張・拡大主義は、元をたどれば「中華思想」にその根がある。中華思想とは、中華が天下（世界）の中心であり、その文化・思想が神聖なものであると自負する思想・価値観・道徳秩序のことだ。

この思想の根底には、「中国中心主義」と「華夷《かい》秩序」という二つの概念がある。中国中心主義は、漢民族が古くから持っていた自民族中心主義（エスノセ

ントリズム）で、中国の皇帝を世界の中心をみなし、「天子」と称して皇帝が統治する朝廷の文化・思想が至高と位置付けるものだ。異民族や外国の侵入を良しとせず、排外的な側面を持つ思想である。

なお、こうした「自民族至上主義」は、中国に独特のものではない。ナチスドイツはアーリア人種の優越性を説き、戦前の日本では皇国史観によって自民族を特別視した。アメリカにもアメリカ例外主義（アメリカは他の先進国と質的に異なるとする考え方）があり、欧州にも欧州中心主義があった。いずれも排外性《はいがい》を伴った、「自民族の特別性」という思想を持つことが特徴だ。

さて、もう一つの「華夷秩序」とは、非常に簡単に言えば「天子」が徳によって治める中華が至高であり、その周辺国は「夷狄《いてき》」と言われる「化外の民」が住む地域であって、天子の徳によって教化することで文明国になるという考え方だ。この秩序に基づき、周辺国の王は中国に認められてその土地を治め（冊封）、朝貢を行なう（対等な貿易ではなく、中国に貢ぎ褒美を受け取る）という体制ができ上がった。

清朝時代、中華世界はこの秩序に基づいて満州と中原（黄河の中・下流域）、モンゴル、ウイグル、チベットが漢族社会の支配する中心であり、その外側に朝鮮、琉球、ベトナム、ネパールが朝貢国として、さらに外側にフィリピン、シャム（タイ）、ビルマ（ミャンマー）が貿易国として存在するイメージとしてとらえられた。日本はそれよりもさらに外側にあり、そして台湾は人の顔を持つが人ではない者が暮らす、「化外の地」という位置付けだったという。

つまり、非常に乱暴に要約するならば、中華思想とはこのような明確な排外主義、序列主義の思想が根底にある。もちろん、すべての中国人が排外的、序列的思想を持っているということではない。しかし、ナショナリズムで民意を糾合《きゅうごう》した中国共産党が民心を維持・高揚させるための合言葉《あいことば》として「中華民族の繁栄こそ天意」というスローガンを掲げ、覇権主義に邁進しているということには、特に注意が必要だ。

「華夷秩序」と「ヴェストファーレン体制」

このような思想的根底を持っているのが中国という国であることを、アメリカも当然認識している（もちろん中国人が認識する中華思想とは違った認識ではあろうが）。そして、アメリカや欧州などの西側諸国が、こうした思想を持つ中国を西側秩序が支配する国際社会でキープレーヤーとして認めるかと言えば、率直に言って絶望的に厳しいと私は見ている。それは、西側諸国がこれまで作り上げてきた国際秩序やイデオロギーと中華思想は、非常に相性が悪いためだ。

そのことを知るために、ヨーロッパとアメリカが国際秩序を作り上げてきた歴史も振り返ってみよう。現在の国際社会の秩序は、近世のヨーロッパで確立した「主権国家」体制に由来する。一六世紀に始まった宗教改革によって、ヨーロッパにはカトリック（旧教派）とプロテスタント（新教派）が広がり、宗教対立が国家を巻き込む内乱にまでなっていた。特にドイツでは宗教内乱が激化、一六一八年には各国が介入して三〇年戦争が勃発する。三〇年間にわたって繰り広げられた宗教戦争は、一六四八年に終結するとドイツ西部のヴェストファーレン（ウェストファリア）で条約が締結される。この条約は、ヨーロッパの画期となる非常に重要な歴史的意義を持つものになった。ポイントは次の三つだ。

一・新旧教派の対立の終了と勢力均衡
二・神聖ローマ帝国の実質的解体
三・神聖ローマ帝国の領邦が主権国家として独立

この主権国家の成立が、後の西欧国際体制につながる。簡単に言えば主権国家とは、国内に対しては最高の権力をもって統治を行ない、対外的には他国の支配に服しない独立性を持つ国家のことだ。主権国家が成立したことで、主権国家同士が利害対立で戦争となった場合に、国家間の関係を律する法の必要性も意識されるようになり、やがて「国際法」が成立した。また、仮に国際法だけで主権国家間の利害調整ができない時は、同盟関係を築くことで勢力均衡を図るという方法が取られた。

もちろん、この主権国家体制と国際法が厳密に運用されたわけではなく、時代によって紆余曲折《うよきょくせつ》もあったわけだが、今に続くヨーロッパの国際秩序の起点となった「ヴェストファーレン体制」では、主権国家がそれぞれ国際法の下で平等に扱われるという原則を共有することになった。前述の華夷秩序との対比で言えば、主権国家には天与《てんよ》の序列はなく、あくまで対等であることが前提となっているのだ。

一七七六年イギリスから独立したアメリカも、この流れの中で成立した国である。ただ、アメリカの場合は国家の成立背景がヨーロッパ諸国とは異なった。アメリカはイギリスの植民地からの独立であったため、元々君主や貴族がいない比較的平等な社会であった。また、ヨーロッパで横行していた王権と教会による権力の独占に翻弄された経験から、こうした特殊な権力を排除し自由で平等な国を作るという理念が強くあった。

こうした背景から、イギリスの哲学者ジョン・ロックが説いた「神によって与えられた、奪うことのできない権利」が人間にはあるとの主張を前面に押し出し、「自由・平等・民主」を掲げて人権を尊重する理念を掲げたのである。こうして誕生したアメリカにとって、これらの理念はある意味国家存立の大義として「核心的」なものであった。それゆえ、理念を侵害する他国に対してあらゆる手段を講じてそれを死守する姿勢を示してきた。

実際、一七八九年のフランス革命とナポレオンによるヨーロッパ席巻の反動として一八一五年にヨーロッパで成立した王政復古体制（ウィーン体制）に対しては、アメリカは自国の理念と相容《あいい》れないことからモンロー主義（孤立主義）を掲げて関与を拒み、独自の路線を歩んだ。また、二〇世紀初頭から急速に台頭した共産主義に対しては、「自由・平等・民主」とは正反対の政治理念であり、かつ拡張主義的なイデオロギーであることから完全に対立、四〇年もの冷戦を戦い抜き、これを徹底的に排除する姿勢を示した。

冷戦終了後もアメリカは共産圏や独裁国家への関与を行ない、様々な民主化工作を公然と、あるいは秘密裏に行なってきた。あえて別の言い方をすれば、アメリカは「自由・平等・民主」「人権尊重」というイデオロギーを、他国に〝押し売り〟するような覇権を行なってきたわけである。

このようなアメリカが中華思想の中国と共存できるのかは、甚だ疑わしいと言わざるを得ない。排他的、序列的思想の「華夷秩序」と独立・対等を重んじるアメリカでは、モノの良し悪しの根本が決定的に違うためだ。

また、もし仮に中国が本当に覇権を目指さないのだとしても、アメリカはそれを信じることはないだろう。覇権国家は次の覇権国の台頭を警戒し、それを阻止するのが歴史の常であるし、次の覇権候補となるような隆盛を誇る国は指導者がいくら「覇権を志向しない」と言っても、覇権志向の内部闘争などが巻き起こって流れを止められない。

結局のところ、大国はどこかで雌雄《しゆう》を決することになるのだ。人類は、数千年にもわたって国家の栄枯盛衰を繰り返してきたが、それでもいまだにこうした覇権闘争の〝平和的解決の手立て〟を用意できていないのである。

アメリカの対中政策の「挫折」

さて、今一度話題を変えよう。なぜアメリカは、中国が「異形の大国」として手が付けられなくなるまで放っておいたのか。これも、歴史を追って行くことで、「どこでアメリカが間違えたのか」が見えてくる。

アメリカは、冷戦期の一九七〇年代に中国と関与する政策に舵《かじ》を切る。この時の基本構想はこうだ。国交を回復し、経済交流を通じて中国が豊かになる過程で、アメリカのイデオロギーである「自由・平等・民主」と人権の理念を啓蒙して行く。人々が豊かになり、こうした理念の有効性を実感すれば、やがて共産主義は崩れ民主化がなされる――現在の状況を見れば、間抜けなほどに楽観的な話であるが、当時はある程度説得力のあるシナリオであった。

実際、東欧の旧共産圏ではこのシナリオが効果的に機能した。一九八〇年代、「赤貧《せきひん》洗うがごとき」状況に陥っていた共産主義諸国は、経済的繁栄を謳歌する西側の自由・民主主義陣営の状況を羨望し、共産主義陣営の無能と堕落を呪った。そして、いよいよソ連の統率力が低下すると見るや、次々と共産主義を放棄して行ったのである。

昨今の対中国の「関与政策」を主導したのは、ニクソン政権下でも大統領補佐官として「関与政策」を主導したヘンリー・キッシンジャーだ。キッシンジャーと言えば生粋の〝親中派〟としても知られ、また最近ではトランプ前大統領の顧問を務めて外交の表舞台に出ている。二〇〇一年に機密解除された一九七一年のキッシンジャー訪中時の会談記録には、なんと「日本の経済発展を許したことを後悔」「日米同盟でしっかりと束縛しておくべき」「中国は世界的視野を持っているが、日本は部族的な視野しかもっていない」「日本人は自己中心で他国に対する感受性に欠ける」「日本が過度な再軍備を進めれば、伝統的な米中関係が再びものをいうだろう」など、現在の日本人が聞いたら驚がくするようなことが語られ、当時のキッシンジャーとアメリカの対日認識がいかに否定的だったかが明らかになっている。

ニクソンとキッシンジャーの主導によって、中国は国際社会への経済的な復帰を果たしその後急速な経済成長を成し遂げたわけだが、しかし政治体制はアメリカの思惑通りにはならなかった。八〇年代の冷戦末期、世界は民主化の機運に包まれ中国にもその大波が到来して天安門事件が勃発したわけだが、中国共産党は弾圧でこれに応じ、共産党の一党独裁を堅持することに成功した。

後講釈《あとこうしゃく》ではあるが、この時点でアメリカは対中戦略を見直すべきだったかもしれない。しかしその後、鄧小平は「韜光養晦」に転じて大人しくしていたこと、また中国における政策決定が以前の独裁的、抑圧的なものから制度化、分権化、多元化される傾向にあったことで、アメリカにとって予測可能性が高くソフトな権威主義に着地して行くように見えたという点も大きかった。

結局、冷戦後も継続的にアメリカは「関与政策」を維持するという判断を下す。また、米中間ではたびたび小規模な衝突があったものの、二〇〇一年に勃発したアメリカ同時多発テロへの対応で協力関係を築くなど、国際的な一大事の発生によってアメリカの注目が中国からそれたことも幸いした面があるだろう。

しかし、ここで決定的な変化が訪れる。二〇〇八年の金融危機以降、中国が経済的に主要な位置に付け、対外的に強硬姿勢に転じたのだ。その時アメリカは、金融危機による経済的ダメージとそれ以前から引きずっていた泥沼のイラク戦争からの回復が主要課題となっており、対中「関与政策」を全面的に見直すことはしなかった。正しくは、その決断ができなかったというべきだろうか。

習近平が国家主席に就任した二〇一二年時点で、すでに中国は排除や封じ込めができないほどに世界経済への関与と影響力を持つ一方で軍事力も増強し、内政においては弾圧や人権侵害を行ないつつも西欧諸国の批判を強硬に突っぱねる存在となっていた。

結局アメリカは、中国が本格的に覇権を脅かす存在になって、一〇年近くも遅れてかのトランプが政権を取ってからようやく「関与政策」を修正に転じた。一九四〇年代、アメリカには気鋭の外交官ジョージ・ケナンがいた。彼は共産主義の台頭がいかに危険なものであるかをいち早く見抜き、「X文書」にて「対ソ封じ込め政策」を進言した。その後の展開は、歴史の知る通りである。

九〇年代以降のアメリカの対中戦略は、明らかにその当時から見劣りのする、惰弱な判断と言わざるを得ない。まさに「覇権をつかみ取ったアメリカ」と「数十年を経て凋落したアメリカ」の、これが現実というものなのかもしれない。

専門家たちの予測する「米中覇権闘争のゆくえ」

さて、果たして米中の闘争はどのような結果をもたらすのか。現時点ではまったく予測不可能である。私は経済ジャーナリストの立場として、読者の皆さんにはいつも「最悪を想定して備えを固める」ことの重要性を説いてきた。よって、今考え得《う》る日本人にとって最も厳しいシナリオを想定している。それは後ほど説明しよう。まずは、世界の政治・外交の専門家たちが日中問題の今後をどのように見ているのか、ざっと見て行こう。

まずは、ジョン・ミアシャイマーだ。シカゴ大学教授で安全保障研究を専門としており、「オフェンシブ・リアリズム」という理論を軸にして国際システムを紐解くミアシャイマーによると、国家は強力になるとイデオロギーに関係なく「覇権を確立しようとする」という。また同時に「ライバル大国の覇権を阻止しようと働く」。それは、国家の生存確率を最大化するためである。よって中国が経済大国になった今、これを軍事力に転換してアジア覇権を志向するのは、ほぼ確実と見ている。アメリカは現在、唯一の覇権国であり、アジアに対する現状の影響力に大きな利害がある。そして、新たな競争相手の登場を許せない。よって、「米中間の安全保障競争が戦争につながる可能性が高まる」というのだ。

ミアシャイマーは、「冷戦期よりも戦争の可能性は高い」という。また、両国が核保有国であることで核抑止が働き、戦争を仕かける可能性が低くなると考えるのは間違いだという。ヨーロッパと異なり、アジア圏には戦闘が勃発してもそれが核戦争レベルまでエスカレートする可能性がないというのがその理由で、「核を使わない戦争は勃発しやすい」という見立てだ。当然、日本や台湾、朝鮮半島近辺での戦闘も容易に想定されるということだ。いざ極東地域で戦争となれば、その影響は私たち日本人を直撃することだろう。

さらに深刻なシナリオを予想するのが、ピーター・ナヴァロだ。トランプ政権下で大統領補佐官を務めたナヴァロは、厳しい対中姿勢で知られる。彼は、「米中戦争が起こる確率は七〇％以上ある」とし、「その行き着く先は核戦争となる可能性すらある」としている。

中国は政権発足以降、武力侵略や暴力行為を内外に繰り返してきた事実があり、公平で平和的な外交政策を期待するのは難しいとし、そうした中国に対抗するには強力な軍事力を持ち、強力な同盟関係を構築して、中国に「アメリカは最終的には実際に武力を用いる」と信じ続けさせることだと主張している。

つまり簡単に言えば、「新たな冷戦構造の構築」だ。ただしこの主張は、アメリカに著しい財政負担を強いるものとなると想像できる。米ソ冷戦時代にも、アメリカの財政は軍拡の負担が大きくのしかかり、非常に厳しい状況に追いやられた。覇権に陰《かげ》りが見え「世界の警察官」を降りたアメリカに、果たしてそうした覚悟と実行力があるのか。かなり怪しいと言わざるを得ないだろう。

なお、ナヴァロもミアシャイマーと同様、米中の核抑止力がアジア圏の通常戦争を抑止し得ないとしている。もし、アジア圏での通常戦争を抑止しようとするなら、アメリカと同盟国（日本、韓国、フィリピンなどが想定される）が核を使用する能力と覚悟を中国に示し、信じさせる必要があるという。これはすなわち、日本においては「非核三原則」の撤廃を意味するだろう。日本が中国との戦争を回避したいなら、アメリカの容認の下で核配備することが必要ということだ。果たして私たち日本人は、そこまでの覚悟で日本を守ろうと考えられるだろうか。

さて、こうした「米中危機論」とは別の切り口で米中摩擦の行く末を論じる専門家もいる。アメリカの歴史学者エドワード・ルトワックは、「中国との『冷戦』の本質は、本来は『ランドパワー（陸上勢力）』である中国が『シーパワー（海洋勢力）』としても影響力の拡大を図ったことで米国や周辺諸国と衝突する『地政学上の争い』に加え、経済・貿易などをめぐる『地経学』、そして先端技術をめぐる争いだ」（産経新聞二〇一八年一二月二八日付）と指摘している。

そして先端技術分野では、アメリカで産業スパイを行なった中国情報部員を逮捕、また中国系先端企業の締め出しなどを開始しており、すでに「米中全面戦争の火ぶたを切った」と主張した。また中国の覇権的台頭を受けて、アメリカと日本、オーストラリア、ベトナム、インドなどの周辺国が自然発生的、必然的な同盟を形成しており、これら国々を総合すると「中国の封じ込めは難しくない」（同前）とする。その帰結として、ルトワックは「かつて中国が掲げた『平和的台頭』路線に回帰しない限り、長期にわたる戦いの末に中国の現体制崩壊という結果を迎える」（同前）と予測している。

また、日本はロシアとの関係を維持し、対中牽制をすべきとも提言している。もちろん、この発言時点（二〇一八年一二月）では現実的な話であったが、ウクライナ侵攻後の現時点では極めて難しい提言だろう。

別の切り口で中国衰退論を唱える者もいる。フランスの人口統計学者で歴史学者のエマニュエル・トッドだ。人口統計という、予測精度の高い統計を使った幅広い分野の分析を行なっている。一例として、冷戦末期の旧ソ連の人口動態からソ連の崩壊を予測しており、その独自の着眼点と手法には定評がある。

トッドは、「中国は世界の脅威になり得ない」と断言する。それは、中国がこれから急速に少子高齢化するためだ。中国の出生率は二〇二〇年時点で一・三人で、将来の人口減少と国力衰退は火を見るより明らかだ。つまり、中国が元気なのは今のうちだけで、そのうち経済は頭打ちになり、やがて急速な衰退国家に陥るわけだからそうなるまで状況をやり過ごし、待っていればよいというわけだ。さらにトッドは、現在の米中関係は「トゥキディデスの罠」と呼ばれる状態には当たらないという。「トゥキディデスの罠」とは、従来の覇権国家と台頭する新興国家が、戦争が不可避な状態にまで衝突する現象のことを指す。

ハーバード大学教授のグレアム・アリソンの研究では、過去五〇〇年の覇権闘争で七五％が戦争に至ったという。米中問題も同様に、戦争に至る危険性が高いということだ。しかしながら、この場合の新興国は人口的に拡大し、勢力を増していることが前提にあるとトッド氏は指摘する。トゥキディデスが残した「新興国アテネの台頭と覇権国スパルタの恐怖心」という話では、アテネは人口が拡大し勢力を増していたが、一方で現在の中国は急激な人口減少の間際にあり、これにあたらないというわけだ。

ただし、かといって武力衝突などの危険がないということにはならないという。人口減少が見えている中国は、『中国夢』を実現するために残された時間は少ない」と考えている可能性がある。したがって、たとえば台湾を統一支配するのに「そう長くは待てないと考えるかもしれない」ということだ。そうなると、多少のリスクやコストを承知で強硬的な手段に出る危険がある。

つまり、アメリカから見て覇権への挑戦の危険性は少ないとしても、東アジアの安全保障という意味ではむしろまったく安心できないということだ。アメリカの思惑とは別に、日本のリスクは極めて高いことを認識する必要がある。

「台湾有事」は時間の問題か

ここまでで、米中が覇権闘争に至った経緯、両国の闘争の根底にある歴史背景、さらにはその覇権闘争の行方についても見てきた。中国は、いまや野心の実現に向けて本気である。彼らが目指すのが世界の覇権なのか、アジア圏に限定した地域覇権なのかはわからないが、少なくとも「台湾を統一してそれで終わり」というわけでは決してないことははっきりしている。

逆に言えば、いかなる手段を用いるにせよ台湾を統一することはほぼ間違いなく、「いつ」「どんな手段で」やるかという問題と考えるべきだろう。大まかに言えば、二つのシナリオがあり得る。

シナリオ①非武力的手段

中国も、むやみやたらに武力を振りかざしたいわけではない。人民解放軍の一部には武力志向の「脳筋」（脳みそまで筋肉でできているかのような、実力行使でコトが済むと考える単純思考の人間）もいるかもしれないが、共産党幹部や習近平は決してそうは考えていないだろう。何しろ「孫子の兵法」の国である。戦わずして勝つのが最善、味方はおろか敵も疲弊させず、熟れて落ちてきた実を受けるがごとく手に入れるのが最上と考えているはずだ。したがって、ここで用いられるのは「情報戦」や「心理戦」といったやり方だ。

情報戦は、いまや「血の流れない戦闘行為」と言ってよいほど、現代の戦争では一般的になっている。ロシアが二〇一四年のクリミア半島制圧時にも用いていた方法で、仕かける方法は多岐にわたる。情報を遮断し、かく乱し、デマを流し、社会の混乱を引き起こす……敵地の人心をかく乱することで闘争の意欲をへし折る方法だ。元空将で麗澤《れいたく》大学特別教授の織田邦男氏も、以前私と対談を行なった際にその具体的な方法について言及していた。引用してみよう。

織田：たとえば、台湾は島外との通信網として海底ケーブルが敷設されています。これは三ヵ所で場所も公表されていますが、これを切断すれば外とのやり取りの九七％が不能になります。これは本当に簡単で、潜水艦なども必要ありません。特殊部隊を使って陸上に出ている場所を切断すればいいだけです。残りの三％は衛星などですが、これはジャミング（妨害電波）をかければ一発です。外部との情報のやり取りを、実

に簡単に完全に遮断できるわけです。

　台湾で行なわれるハイブリッド戦争は、大規模な軍隊を用いずに行なわれると想定されます。「制脳戦」とも表現されますが、台湾の人々に「これはもうダメだ。中国に降伏しよう」と思わせるやり方です。それには人々を不安に陥れるのが重要です。たとえば、朝起きたら突如海外とのやり取りができなくなっている、テレビも見られない、ラジオも聞こえない。なんなんだこれは！　という状況を作るわけです。こうなると、人々は極度の不安に陥ります。

　そして、ロシアがクリミア半島でやったように国民党の親中派が出て来て、アジ演説を打つわけです。「我々は元々一つの中国の民族ではないか。今こそ、平和のうちに融和を目指そう」などとやる。人々は混乱と不安の中にありますから、「この状況で我々が戦っても勝ち目もないし、中国と平和に解決した方がよいのではないか」となるわけです。闘争する気力をへし折り、自らひざを折るように仕向けるわけですね。クリミア半島では、そうした手を使ってわずか三週間で住民投票を行ない、併合して行ったのです。

こうした「台湾の方からひざを折る」ように仕向けるやり方は、私は十分に可能性があると思っています。

（『日本は第2のウクライナとなるのか⁉』第二海援隊刊）


このようにして、事実上の「無血占領」を行なうことが、最短にして最善の策であると考えられる。実際、こうした作戦は幾度も実行に移されている形跡があるのだ。二〇二三年二月、台湾の本島と馬祖島《ばそとう》を結ぶ海底ケーブルが、一ヵ月に二本も切れる事案が発生している。いずれも、中国籍の漁船と貨物船が海域を通過した際に発生したものと見られている。

そしてこれは、ただの偶然ではない。なんと、ケーブル切断事案はこの五年で二七回も発生しているのだ。通信に用いられる海底ケーブルは、光ファイバーでそれ自体は強く曲げると芯が折れて使えなくなるが、海底ケーブルでは金属片を巻き付けて補強しており、そう簡単にちぎれたりはしない。それがこの短期間にこれだけ頻発しているということは、明らかに意図的と言わざるを得ない。実際、一度切れると再敷設に月単位の時間がかかり、その間は低速のマイクロ波通信が用いられるという。外部との情報遮断が日常化し、ある時突如としてパニック的な様相となる……まさに狙い通りの情報戦というわけだ。

シナリオ②武力行使

中国が武力で台湾に侵攻すれば、当然アメリカをはじめとした海外からの報復が待っている。しかしそれでも、何らかの大義をこじつけて強行する可能性も否定できない。上述の通り、いかに米中間に核抑止力が働いていても、東アジアの周辺はアメリカの「核の傘」の間隙《かんげき》（核抑止に生じるすきま）にある。

どういうことかと言うと、東アジア諸国は核兵器を保有していないため、各国と中国との間に核抑止力が働かず、戦争状態に突入しやすくなるのだ。もちろん、中国が周辺国に核を使えばアメリカも核で報復する危険性が生じるが、もし中国が通常戦力を用いて周辺国と戦争するならば、アメリカもいきなり核報復を行なうのは現実的ではなく、通常戦力での周辺国支援に留まるだろう。

周辺国を巻き込んだ通常戦争では、米中にとって互いに核戦争へのエスカレーションリスクが低く、相対的に通常戦争の抑止が効きづらい。その意味で、中国と周辺国とで通常戦争が起きる可能性は相対的に高くなる。周辺国は、アメリカの「核の傘」があるからといって、必ずしも戦争から守られているわけではないということだ。

武力行使のシナリオについても、織田氏は対談時に簡単に解説してくれた。

織田：中国軍がどうするかですが、これもクリミア併合時のハイブリッド戦争が参考になります。ロシアがどのようにやったかというと、スペツナズ（ロシアの特殊任務部隊）が、階級章も付けず、国旗も付けずにある日突如として潜入したわけです。周囲から見れば、どこの国かわからない、何をする人かもわからない、でもロシア語は喋っている、なんだ

ろうという人たちです。そして彼らは、テレビ局、政府中枢など要所を抑えたのです。中国も、これを応用すればよいわけです。

具体的には、ヘリボーン作戦（前線部隊をヘリコプター空輪で行なう作戦）で、五〇〇〇人程度を台湾に送り込みます。中国本土から台湾までは高々百数十キロメートルですから、十分に可能です。一〇〇機くらいのヘリコプターを深夜に飛ばし、レーダーにジャミングをかけて一気に部隊展開し、五〇〇〇人くらいで要所を抑えるわけです。総統府に行って蔡英文を拉致し、政府やマスコミなどを抑えれば作戦は成功です。後は、国民にデマを流せばよいのです。「蔡英文はアメリカに亡命した」と。いかにもそれらしい合成映像なども作って流せば、完璧でしょう。国のトップが逃げたのですから、残された市民が果たしてどこまで踏ん張れるか。まず、厳しいでしょうね。

（『日本は第2のウクライナとなるのか!?』第二海援隊刊）

武力行使については、さらに巧妙でいやらしい方法も考えられる。それは、「北朝鮮と連携してコトを仕かける」というものだ。具体的には、北朝鮮が弾道ミサイルを日本海や東シナ海、あるいは日本を通過して太平洋に次々と発射し、米軍や韓国軍をかく乱して日米がこれらの対応を行なっているうちに台湾に侵攻するという方法だ。

「まさか⁉」とお思いの方もいるだろうが、これは複数の専門家が可能性を指摘しており、おそらく当の中国の政権幹部内でも想定済みの作戦であろう。前述の織田氏も、北朝鮮による陽動《ようどう》は「十分あり得る」と言う。

また専門家の中には、「ロシアも陽動に加わる」という指摘をする者もいる。さすがにウクライナが目下の焦眉《しょうび》となっているロシアにとって、オホーツク海から中国のために陽動を起こすのは荷が重すぎるように思われるが、しかし中国がロシアへの支援を手厚く行ない、その見返りとして連携を打診していてもおかしくはないだろう。

このような事態に、日本の自衛隊がどの程度役に立つのか。率直に言って、はかばかしい成果を期待することは、まず無理だろう。前述の織田氏をはじめ、複数の防衛関係者などから自衛隊の実情について聞くと、驚くような話がいくつも飛び出す。

まず、自衛隊が保有する武器などの装備品は古いものが圧倒的で、その数も少なく、さらに弾薬などの備蓄も驚くほど少ないのだという。特に弾薬は、使わずに何年も保管しておくことができない。定期的に新しいものに入れ換えなければならないが、そうした予算がほとんど付かないのだという。テレビなどでは自衛隊の様々な装備や車両、部隊の練度《れんど》などについて、「素晴らしく良く整った」様を流す番組もあるようだが、それはあくまでごくごく一部であって、大半の部隊においてはいざ本土防衛などとなった際にまともな戦闘ができる状態ではないというのが実態なのだ。

そして、頼りの米軍についても、本当に介入してくれるかは極めて怪しい。日本は、アメリカと安全保障に関する条約（日米安全保障条約）を締結している。多くの日本人は、これによって「日本が有事の際はアメリカが武力行使を含めて助けにくる」と考えているが、実は条約にはそうは書かれていない。

これがＮＡＴＯ（北大西洋条約機構）の条文には、明確に「武力行使」が謳《うた》われている。元々日米安保条約は、前述のキッシンジャー発言のように日本の再軍国化を防ぐというアメリカの狙いがあったとされており、ＮＡＴＯのように旧来の同盟関係を強化するような構成でなかったとしても、なんら不自然ではないのである。

よって、日米安保で「日本が危なくなったらアメリカが助けてくれる」というのは日本人の勝手な思い込みで、実際にコトが起きた時、アメリカがどこまでやってくれるかは状況に応じて判断されることとなり、必ず守ってくれるかはまったくわからないのだ。したがって、台湾侵攻と並行して尖閣《せんかく》諸島が占拠されても、米軍がこれを排除する保証はまったくないのである。

そして、実は尖閣諸島は米軍の沖縄基地にとって極めて重要な場所である。織田氏によると、もし尖閣が占拠され、その中の久場島《くばしま》にレーダーと対空ミサイルを設置されてしまえば、嘉手納《かでな》基地は無力化させられるという。ロシア製の「S―400」という超長距離地対空ミサイルは、四〇〇キロメートル先の六つの目標への同時処理能力を有しており、久場島から嘉手納を射程圏に収められるのだ。レーダーで嘉手納からの離陸をとらえ、地対空ミサイルで狙い撃ちすれば、米軍をたやすく撃ち落とすことができることになる。

そうなれば、米軍は沖縄を捨ててグアムに退くと織田氏は言う。つまり、台湾侵攻は直ちに沖縄の危機につながるのだ。日本の有事に直結する事態なのだが、肝心の日米安保は頼りにならず防衛組織たる自衛隊は実戦を戦えないということで、日本はただひたすら事態を黙って見ているしかないということだ。

北朝鮮暴発？　東アジア最大の不安定要因

さて、「台湾有事」に関連して北朝鮮が陽動に乗り出す可能性に言及したが、「北朝鮮自体」が東アジアの危険な不安定要因であることにも注意が必要だ。何しろ、北朝鮮にも国家の悲願がある。「台湾有事」は、北朝鮮にとっても悲願達成にとって好都合な出来事と考えられるのだ。

北朝鮮は、かねてから世界に対して「威嚇・恫喝」と「対話」の二つを外交カードとして使いわけ、西側諸国に揺さぶりをかけ続けてきた。国連安全保障理事会・北朝鮮制裁委員会専門家パネルの元委員・古川勝久氏によると、飢饉や国際社会からの経済制裁などによって政権の上層部や軍部からも不満が噴出し、体制維持が危うくなると対外的に「対話」のカードを出し、制裁の緩和や人道支援などを諸外国から引き出して難局をしのぐ傾向があるという。逆に言えば、それ以外は基本的に威嚇・恫喝の外交スタンスということだ。

直近では、二〇一八年が「対話」の年であった。この年、金正恩が「非核化宣言」を打ち出し、南北首脳会談、米朝首脳会談を相次いで実現、緊張緩和を演出した。しかし北朝鮮、アメリカ共に相手国への根強い不信感から非核化交渉は難航、結局のところ進展はほとんどないまま再び強硬姿勢に逆戻りした。そしてその間にも、北朝鮮は核開発や弾道ミサイル開発を間断《かんだん》なく進めたことが、後に明らかとなる。

見せかけの「対話」が北朝鮮の思惑通り不調に終わった二〇一九年以降、北朝鮮は弾道ミサイルの発射実験に邁進するようになった。実際、二〇一九年には一三回・二五発の弾道ミサイルを発射している。二〇二〇年には四回・八発、二〇二一年には四回・六発と比較的少なかったが、二〇二二年には四五回・五九発、二〇二三年は七月一九日までに一四回・一五発を発射している（外務省発表）。巡航ミサイルやロケット砲など、弾道ミサイル以外のものも含めれば、さらにその回数は倍増する。

これほどまでに急激に実験回数が増加していることは、当然明確な意図があってのことだ。「我々は、アメリカ本土までも直接攻撃できる能力をすでに獲得しつつある」——金正恩は間断なきミサイル実験によって、そういうメッセージを送り続けているのである。

「対話路線」を採った二〇一八年以前にも、北朝鮮はミサイル実験や核実験を通じた威嚇外交を展開してきたが、現在の実験ペースはその当時と比べて明らかに加速し、またミサイルの性能も向上している。当然、これら実験には莫大な費用がかかるわけだが、それがこれほどの頻度で行なわれているということは、経済的な側面でも北朝鮮は道を切り開いたということだ。

もちろん、それは一般的な交易によるものではない。核技術やミサイル技術の他国への輸出、暗号資産や海外金融機関のハッキングによる外貨獲得、中国・ロシアからの秘密裏の支援など、ヤミ取引に属する様々な方法が想定されるが、いずれにしても「ミサイル実験を連発できる」程度の軍資金が確保できているという事実は極めて重大だ。当然、イザとなればそれ相応の軍事行動を起こすだけの準備を進めている可能性も想定しなければならないだろう。

北朝鮮が目指す国家の悲願とは、現体制の維持と南北朝鮮の統一である。歴史を紐解けば一九五〇年代以降、朝鮮半島は米ソ冷戦の狭間で「代理戦争」の地となり、元々朝鮮民族の郷土であった半島は南北に分断された。

それから半世紀以上が経った現在も、半島統一と民族の再集結はまったく見通せない。その現状に、北朝鮮を率いる金一族はアメリカへの特別な「恨み」を持っているとされる。半島分断の現状をもたらしたのは、一九五〇年に李承晩《りしょうばん》を支援し北朝鮮を半島北部に押し戻したアメリカであり、アメリカこそが元凶である……それが現在の対米威嚇外交の基底を成しているというわけだ。

さらに二〇二三年九月、金正恩はロシアを訪問しプーチン氏と会談を行なって関係強化を図った。この意図するところは様々な推測を呼んでいるが、双方の軍事協力強化が主目的とされている。最悪のシナリオの一つとして考えられるのは、北朝鮮が積年の悲願である「朝鮮半島統一」のための武力行使にロシアが後方支援を行なうというものだ。

もちろん、現状のままでは北朝鮮が無策で「南進」を行なえば米軍が応戦する可能性は極めて高く、勝ち目はほとんどない。しかし、ここにロシアとの緊密な連携が加わると、その天秤は北朝鮮に若干傾く可能性がある。

そしてさらに、前述したような「台湾有事」とも連携できれば、さらに天秤は北朝鮮優位に傾くことだろう。一時的にせよ、韓国の主要都市や軍施設を武力制圧し、実効支配という既成事実にまでたどり着く可能性も出てくる。そうなれば、アメリカに北朝鮮の体制維持と核保有を事実上認めさせ、さらに南北統一交渉を有利に進める大きな一歩となるだろう。

北朝鮮が描くシナリオにとって、「台湾有事」は米軍の目をそらすまたとないファクターであり、悲願の足がかりをつかむチャンスというわけだ。つまり、中朝の軍事連携は双方にとってシナジー（相乗効果）を生むということで、半島有事と「台湾有事」が同時に勃発する蓋然《がいぜん》性はかなり高いと見るべきだろう。

「台湾有事」は日本国破産の起爆剤

さて、「台湾有事」が既定路線であるということを確認したが、私が想定する「日本にとっての最悪のシナリオ」とは、まさに「中国による台湾併合で生じる危機」である。

台湾が完全に中国のものとなれば、日本は完全に〝終わる〟だろう。仮にその後、中国がアジア覇権を手にするにせよ、覇権への道が挫折に終わるにせよ、日本にはすさまじい混乱と困難の時代が待ち受けることは確実だ。

では、どのような災厄が降りかかるのか。まず、中国が台湾の支配を確立すれば、日本のシーレーンは中国の意のままとなる。嫌がらせのように海上封鎖が行なわれ、輸入物資の遅滞や枯渇は必至だ。原油、食糧、その他あらゆる物資が不足して経済パニックが起き、すさまじいインフレが庶民生活を破壊しつくすことだろう。

さらに恐ろしいのは、これと並行して行なわれるだろう金融面での揺さぶりだ。国債売り浴びせや日本円の売り浴びせなど、あの手この手で揺さぶりをかけてくることだろう。もちろん、中国勢とわからぬよう、米欧の投機筋なども巻き込んで大々的に仕かけてくる。当然、日本も通貨防衛や国債市場への介入で応じるだろうが、前述のシーレーンパニックなども考慮すればまず耐えきれるものではなく、降参せざるを得ない。

そうなれば、いよいよ地獄の始まりだ。日本の最大のアキレス腱は、天文学的な政府債務である。これに火がつけば、後は何もしなくても日本はボロボロになる。中国が仕かける国家破産が、日本を奈落の底に叩き落とすのだ。国債暴落と金利急騰、日本円も暴落し、一気に財政破綻が現実のものとなる。

財政破綻となれば、その後はさらに厳しい事態になる。膨大な政府債務を誰がどう整理するのか、という問題だ。普通の西側陣営国ならＩＭＦなりＥＣＢなりが緊急支援に乗り出し、厳しい財政再建を進めるという話になるが、日本の場合、そもそも債務額がすさまじすぎてＩＭＦですら救済しきれるか怪しい、ということになる。おのずと財政再建策も苛烈を極めるだろう。

日本は家計と企業の金融資産が膨大にあるため、これと政府債務を相殺すべく「徳政令」も実施されるだろう。国民にとっては極めて重い負担となり、こうした緊縮政策に反対を唱える人々が続出する。デモやスト、暴動などが頻発し、社会は混乱の極みとなる。

しかしこれは、アジア覇権を目指す中国にとってまさしくチャンスである。混乱に乗じて世論をあおり、欧米追随の路線を批判すると共に中国が多額の金融支援と緊急的な物資供給などを表明し、国内の「親中勢力」の拡大を画策する。すでに中国系の勢力は、大手メディアや一部政治家などに食い込んでおり、これをさらに加速させる千載一遇の好機となるわけだ。

やがて「親中勢力」が力を付け、財政再建に中国マネーが入り込めば「日本の属国化」への道が開けてくる。「親中派」が親欧米勢力を弾圧し、各地で暴動などの武力行使を行なう。財政に関する意思決定は中国に忖度せざるを得なくなり、様々な統制や社会制度の変更も余儀なくされるだろう。各種の産業利権や行政権なども中国に奪われ、大半の日本人は財政破綻の影響も相まって、貧困のどん底に叩き落される。ごく一部の日本人は、中国共産党にすり寄ることで利権の恩恵に与《あずか》ることだろう。彼らは典型的な売国奴だが、残念ながらそうした品性劣悪な日本人だけが生き残り、のさばる国になって行く。

もちろん、アメリカが日本に戦略的価値を見出しているうちは、そう容易に中国の思い通りにはさせないだろうが、しかしそれはそれで問題となる。米中が日本国内で代理戦争を行なうような状況ができ上がるからだ。世論は紛糾し、国民は分断し、財政再建は進まず、貧困と社会制度の荒廃が広がって行く。最悪の場合、日本国内で内戦に近いような混乱が勃発するかもしれない。

米中いずれをも相手取って、したたかに日本の生き残りを進められる天才的リーダーでも登場すれば別だが、現在のような凡庸《ぼんよう》でばら撒きしか能がない政治家たちには、危地に立たされた日本を救うことは到底かなわないだろう。

また、日本の危機は日本だけの問題に留まらない可能性もある。極東地域のパワーバランスは日本が大きく関係しているため、日本の危機が朝鮮半島や南シナ海など、広範な地域での地政学リスクに飛び火する危険もあるだろう。東アジアで紛争や衝突が頻発し、偶発的に米中が衝突することになれば、情勢が激変して「第三次世界大戦」の引き金を引くという可能性も妄想ではなくなる。第一次世界大戦前の二〇世紀初頭、バルカン半島が「欧州の火薬庫」と呼ばれたが、二一世紀中盤は日本が「極東の火薬庫」になるかもしれない。

ここまで事態が進んでしまうと、少子高齢化と相まって日本がドサクサから立ち上がるのは一〇年、あるいは二〇年単位の時間を要するだろう。太平洋戦争の敗戦では、その後の冷戦構造の急速な先鋭化が朝鮮戦争につながり、日本に特需をもたらしたことで五年ほどで回復軌道に乗った。

今度の危機では、そうした特需が起きる期待はかなり低い。むしろ「東南海地震」や「富士山噴火」など天災によってさらに復興が遅れる、あるいはもはや二度と先進国として復興できないほどのダメージを負う危険性も考えられる。

日本は「亡国」を回避できるか？

実に恐ろしいシナリオであるが、私はこうした可能性も十分にあると踏んでいる。私たちの将来には、「国家存亡レベルの重大な危機」が待ち構えていると覚悟すべきだ。数十年〜一〇〇年単位の国家観とそれに見合う質実な国家戦略を打ち立て、生き残りの策を練ることが必須である。「戦争はないだろう」などと、平和ボケしている場合ではないのだ。

こんな未来に対して、個人レベルで果たして何をすべきなのかは、考えがわかれるところだ。草の根の政治活動を行なうのか、はたまた日本を見限って海外移住するのか。それは個々人の判断ではあるが、少なくとも「自分の大切なものは自分で守る」ということは強く意識すべきだ。自分や家族の命、健康はもちろんだが、財産を守るということも人頼み、国頼みにせず、自分で対策すべきだろう。

「国難が迫っているのに財産か⁉」とお思いかもしれない。しかし、それは逆である。そういう時代だからこそ、資産が大切なものを守る思わぬ力を発揮することがあるのだ。どのように財産を守るのかについては、この後の章で詳しく解説するので、ぜひ参考にしていただきたい。

第四章

驚異の四〇年パターンが日本の運命を決める

過去を広く深く見渡すことができれば、
未来も広く深く見渡すことができるであろう。

（ウィンストン・チャーチル）

日本を襲う危機や混乱は歴史の必然

ここまで述べてきた日本を取り巻く様々なリスクについて、読者の皆さんはどう思うだろう。「南海トラフ巨大地震」や「首都直下型地震」「富士山大噴火」のような巨大災害、「台湾有事」や「北朝鮮問題」などの地政学リスクについて「あり得ない」とか「何の心配もない」などと言う人はほとんどいないだろう。

と言うより「ほとんどいなくなった」という方が正しいかもしれない。東海地震の脅威などは以前から語られてはいたが、多くの国民にとって〝どこか遠い未来の話〟という感覚があったと思う。しかし、一九九五年に「阪神・淡路大震災」、二〇一一年には「東日本大震災」に見舞われ、被災された方はもちろん、直接の被害を受けなかった方もテレビなどの鮮明な映像を通して、大地震や津波の恐ろしさを思い知らされた。

「地政学リスク」にしてもそうだ。日米安保条約の下、アメリカの核の傘に守られていた日本では、地政学リスクなどほとんど無視できる程度のものであった。ほんの三〇年ほど前までは、「中国や北朝鮮が攻撃してくるかもしれない」などと言えば、それこそ「あり得ない」と嘲笑されるのがオチだった。

しかし冷戦終結後、二〇〇一年の「ニューヨーク同時多発テロ」、二〇〇三年の「イラク戦争」などを経てアメリカの圧倒的な軍事的優位が崩れると、世界はみるみるうちに不安定化して行った。中国は尖閣諸島や東南アジア各国の海域に艦船を繰り出し、領有権を争う複数の島に勝手に滑走路を作るなど軍事的威嚇を強める。北朝鮮は年がら年中、日本海に向けて弾道ミサイルを発射している。両国の軍事的脅威は、高まる一方だ。「巨大災害」や「台湾有事」などにより甚大な経済被害が生じれば、巨額の復興資金が必要になりすでに破綻寸前と言えるわが国財政にとっては「トドメの一撃」となるだろう。

このように、時代は明らかに変わりパラダイムも転換しつつあるが、この時代の変化とそれに伴うパラダイム転換は決して「偶然の産物」などではない。これらはすべて、「歴史の必然」と言えるのだ。「歴史は繰り返す」とよく言われるが、歴史を注意深く観察すると驚くべきパターン性を見出すことができる。そのような歴史のパターン性を基に考えれば、現在の日本を取り巻く巨大なリスクや今後起こり得る危機や混乱は、いずれも歴史の必然以外の何物でもないことがわかる。

これまで多くの識者が様々な歴史のパターン性について述べているが、私が特に有用だと考えているのが「四〇年パターン」「覇権の移行」「八〇〇年周期」の三つの説だ。いずれも時代を大きく変貌させ、パラダイム転換をもたらすものだ。では、早速「四〇年パターン」から詳しく解説しよう。

驚異の四〇年パターン①

明治維新から日露戦争までの上り坂

今から十数年前、私は日本の歴史にあるパターン性を発見した。実は、日本の近代の歴史には「四〇年を周期として発展と後退を繰り返すパターン性」が見られるのだ。世の中が混乱し、パラダイムが大きく転換した直後（また、その少し後）から約四〇年の間、日本は急な坂道を駆け上がるように世界中が驚がくするほどの大発展を遂げる。その発展は約四〇年で頂点を迎え、今度は逆に奈落の底まで急な坂道を転がり落ちて行くのだ。そして、その後に再び混乱期がやってくるというパターンである。四～五ページの図を参照しながら時代を遡り、詳しく見て行こう。

最初のスタート地点は一八五三年だ。この年、ペリーが黒船と共に江戸湾に来航し幕府に開国を迫った。この一大事件により、江戸幕府が抱えるそれまでの矛盾が一気に噴出した。幕末の安定期は終わり、一五年間の大動乱期に入る。一八五四年に日米和親条約を締結して開国を強いられると、一八五八年には大老・井伊直弼が朝廷の許可を得ずに日米修好通商条約に調印した。この条約は領事裁判権を認め、関税自主権のない不平等条約であった。井伊の独裁的な政策に反発した、尊王攘夷派の多くの人々が処罰された。「安政の大獄」と呼ばれるこの弾圧により井伊への反発は高まり、一八六〇年に井伊は暗殺された。

経済も混乱を極めた。開国し貿易が始まったことにより江戸の流通システムは崩れ始め、物価が高騰し多くの庶民の生活は苦しくなった。また、金《きん》と銀の交換比率が外国と異なることで、海外への金《きん》の大量流出を招いた。対策として幕府は、質の劣る万延小判《まんえんこばん》を鋳造《ちゅうぞう》したが貨幣価値の低下が起こり、かえってインフレに拍車をかけた。開国や外国人に対する反感が強まり、一揆《いっき》や打ちこわし、外国人殺傷事件などが相次いだ。

その混乱にピリオドを打ったのが、一八六八年の「明治維新」だ。この明治維新によりパラダイムは大転換し、そこから約四〇年、日本は急発展の坂道を一気に駆け上がって行く。「明治維新」という言葉を聞くと、その何とも良い響きから、何か光り輝く素晴らしいものをイメージしがちだが、明治一〇年代の小説を読むと明治維新とは書かれていない。幕末から明治への移行は、「瓦解《がかい》」と表現されている。つまり、世の中が崩壊したということだ。この瓦解により、多くの人が資産を失い没落して行った。

江戸時代には徳川政権の取り巻き連中の中から、茶屋《ちゃや》四郎次郎、呂宋《るそん》助左衛門《すけざえもん》、角倉了以《すみのくらりょうい》といった大富豪が生まれた。いずれも回船問屋《かいせんどんや》、両替商などをやっていて、現代で言えば巨大総合商社といったところだろうか。そういった商社機能に加えて銀行や流通部門も抑えるかたちで、コングロマリット的な豪商として成長して行く。

ところが一時は巨万の富を築いた彼らだが、幕末まで繁栄を保つことができた例は非常に少ない。一時的には時の権力と手を結び、金儲けに成功するが、結局幕府の瓦解と共に消え去って行ったのである。

江戸幕府の中枢にいた旗本《はたもと》の打撃も大きなものであった。元々彼らは、食い扶持《ぶち》あるいは一種の地位の証として何百石、何十石というお米をもらっていた。彼らはギリギリになるまで、まさか「幕府が潰れ、自分たちの財産や地位が瓦解する」とは夢にも思っていなかったようだ。ところが、時代の流れは最後の最後になって一気に倒幕へと進んで行く。彼らはすべての財産、地位、権威をも失い、もはや乞食同然となった。彼らの中には、難民船ごとき小さな船にギュウギュウ詰めにされ、江戸から静岡へと流された者もいた。良い目に遭《あ》ったのは、薩摩藩、長州藩を中心とするほんの一部の者たちだけだ。彼らを除くほとんどの人たちは、財産も生きて行く術《すべ》も失ったのである。

何はともあれ、明治政府による富国強兵策は大成功を収め、日本は世界史上まれに見る速さで近代化を遂げた。江戸時代の長きにわたる鎖国政策のために世界の文明から完全に取り残された小さな島国は、開国により結ばされたいくつもの不平等条約を次々に改正し、欧米列強と互角に渡り合えるまでになった。

そして一九〇五年には、当時「世界最強の陸軍国」と恐れられたロシアに完全勝利とはいわないまでも六対四で優勢に立ち、とりあえず勝利するまでになった。しかし、そこがピークであった。「日露戦争」を境に日本は、破滅への下り坂を転がり落ちて行く。

驚異の四〇年パターン②
日露戦争から敗戦までの下り坂

実は「日露戦争」の後、日本は「大正ロマン」と呼ばれる心地良い時代を迎える。当時としては、大変モダンでロマンチックな文化が花開いた時代である。

また、この時代は「大正デモクラシー」とも言われるように、普通選挙が実施されるなど民主的な状況が見られた。

このような時代を生んだ背景としては、戦争に勝利したことが大きい。日本は「日露戦争」に続き、「第一次世界大戦」でも勝利した。この大戦では、主戦場がヨーロッパであったため日本の被害は少なく、むしろ〝戦争景気〟の恩恵を大きく受けた。そして、日本は大正ロマンという言葉に象徴されるように、どことなく〝ふわり〟とした心地良い時代を迎える。おそらく当時のほとんどの国民は、すでにこの時点で日本が下り坂に入っているなどとは、考えもしなかっただろう。

しかし、この時代は長くは続かなかった。一つの大きな転機となったのが「関東大震災」である。一九二三年九月一日、相模湾を震源とする巨大地震が帝都東京を襲った。「第一次世界大戦」後の日本経済は、大戦景気の反動不況によりすでに陰りが見えていたが、そこに追い討ちをかけるように発生したこの巨大地震は日本経済に甚大なダメージを与えた。

「関東大震災」を号砲《ごうほう》に、日本経済は本格的な下り坂に入って行く。一九三〇年には、前年の「世界恐慌」の影響を受け「昭和恐慌」が引き起こされた。株式相場、商品相場は暴落、中小企業を中心に倒産が相次ぎ、失業者が急増した。都市部だけでなく、農村の被害も深刻であった。特に東北地方は冷害による大凶作もあり、娘の身売りが続出する悲惨な状況であった。

戦争景気、大正ロマンの時代から一転、泥沼の大不況に陥った日本に暗い影が忍び寄る。一九三一年の「満州事変」より「二・二六事件」「五・一五事件」と次第に軍部の力が強まり、日本は戦争経済へと突入する。国際連盟からも脱退し、国際的に孤立を深めて行った。やがて「日中戦争」「太平洋戦争」と日本は破滅への道を突き進むことになる。「太平洋戦争」において日本軍は開戦当初こそ優勢であったが、「ミッドウェー海戦」における大敗北を境に劣勢に転じ、一九四四年以降、東京を含め国内の多くの都市が米軍の空襲に見舞われた。

そして一九四五年、日本は「ポツダム宣言」を受諾し、文字通りゼロまで落ちた。敗戦により、パラダイムは再び大転換することになる。「国家財政は破綻」し、国内は物資の不足もあり「ハイパーインフレ」の嵐が吹き荒れた。

さらに一九四六年には「預金封鎖」や「新円切換」「戦時国債の紙キレ化」などの「徳政令」が実施され、ほとんどの家計は無残にも破壊された。それでも、中にはこの混乱に乗じて上手く立ち回った者もいた。「現金」「預金」「国債」といった形で財産を持っていた者がインフレにより資産価値を大きく損ねた一方で、「モノ」や「土地」「株」などに換えていたごく一部の人間は難《なん》を逃れた。

こうして、新円体制に上手く飛び乗った「新興成金」が登場する一方で、戦前からの中産階級や資産家の多くは一気に没落して行った。国家破産に伴うハイパーインフレとどん底不況によって、いつ果てるとも知れぬ混乱が続いた。

驚異の四〇年パターン③ 敗戦からバブル景気直前（一九八五年）までの上り坂

戦後の混乱が続く中、一九五〇年に日本にある〝神風〟が吹いた。その神風こそ「朝鮮戦争」である。これをきっかけに、戦後日本の大復活が始まった。

「朝鮮戦争」による「軍事特需」が日本を救ったのだ。その後、一九八九年（図中は一九八五年。詳細は六ページ参照）までの四〇年間、日本は世界史上まれに見る大発展を遂げた。

「朝鮮戦争」をきっかけに日本経済は息を吹き返し、株式市場も活況を呈した。日経平均株価は一九五〇年から三年足らずで五倍以上に値上がりした。そんな矢先の一九五〇年三月、世界経済を大きく揺さぶるニュースが世界を駆け巡る。「ソ連（当時）のスターリン首相重体」のニュースをきっかけに、日本株にも売りが殺到、日経平均はわずか一日で約一〇％も急落した。その後もなかなか下げ止まらず、日経平均は二ヵ月で四〇％近くも暴落した。この「スターリン暴落」により朝鮮特需は終わりを告げ、日本は「反動不況」に見舞われた。

しかし、日本経済の停滞が長引くことはなかった。間もなく「神武景気」（一九五四年一二月～一九五七年六月）と呼ばれる景気拡大局面に入る。一九五六年の経済白書には「もはや戦後ではない」と記され、「冷蔵庫」「洗濯機」「白黒テレビ」が「三種の神器」として人々にもてはやされた。

神武景気後、「なべ底不況」と呼ばれる反動不況に入るが、この景気後退局面も短期間で終わる。設備投資を主導に、景気は再び拡大局面に入る。この景気拡大は「岩戸景気」（一九五八年七月～一九六一年一二月）と呼ばれた。一九六〇年には当時の池田勇人首相が「所得倍増計画」を提唱するなど、いよいよ日本経済は高度成長軌道に乗るべく離陸を開始した。

一九六四年には、ついに「東京でオリンピックが開催」される。オリンピック開催に伴う建設投資や好調な輸出は「オリンピック景気」をもたらしたが、オリンピック開催をピークに景気は下り坂に入る。

そして、一九六五年、日本は再び危機を迎える。「証券恐慌（四〇年不況）」である。その名の通り、特に証券業界の打撃が大きかった。証券各社は戦後、経営基盤が脆弱なままに株式相場急騰を追い風に業務拡大を図った。ところが岩戸景気後、証券市場が停滞すると赤字に転落、経営危機に陥った。「山一證券」の全国の支店には払い戻しを求める顧客が押し寄せ、この「取り付け騒ぎ」は他社にも広がりかねない情勢であった。当時の田中角栄蔵相は、ついに日銀が証券会社に対して無制限・無担保で融資するという「日銀特融」の発動を決断した。この決断により山一證券は倒産を免れ、証券界の信用は何とか保たれた。また政府はこの年、「戦後初の国債発行」に踏み切っている。

国内景気は何とか回復し、「いざなぎ景気」（一九六五年一一月〜一九七〇年七月）と呼ばれるさらなる長期好況局面に入る。この時期にも耐久消費財ブームが訪れる。新三種の神器として、「カー（自家用車）」「クーラー」「カラーテレビ」の「３Ｃ」が消費を牽引した。当時はアメリカが「ベトナム戦争」に苦戦する一方、逆に日本はこのベトナム戦争特需により経済成長を加速させ、一九六八年には当時の西ドイツを抜き世界第二位の経済大国へとのぼり詰めた。

一九七三年、日本を再び危機が襲った。「第四次中東戦争」をきっかけに、原油価格が一気に四倍に引き上げられたのだ。この「第一次石油ショック」は、日本を含め中東の石油に依存していた先進国の経済に大きな打撃を与え、多くの国が「スタグフレーション」（不況下のインフレ）に悩まされることになる。日本も強烈なインフレに見舞われ、その激しさは「狂乱物価」と呼ばれるほどであった。一九七四年には戦後初のマイナス成長に陥り、高度成長の時代はついに終わりを告げる。

一九七八年には「イラン革命」により「第二次石油ショック」が発生するが、「第一次石油ショック」の経験により企業の合理化や省エネが進んだため、第一次に比べ日本の混乱は大きくはならなかった。高度成長こそ終わったものの、日本経済はその後も安定的な成長を続けた。

そして、戦後日本の上り坂もいよいよ終わりが近付く。大きな転機になったのが一九八五年の「プラザ合意」だ。一九八五年九月二二日、ニューヨークのプラザホテルに先進五ヵ国蔵相と中央銀行総裁が集結し、「ドル高修正、ドル安政策への転換」という合意がなされると、円は急騰する。一ドル＝二四〇円程度だった円相場は、プラザ合意の二ヵ月後には二〇〇円に、そして一年足らずで一五〇円台にまで上昇する。さらに一九八七年一二月には一二一円台を記録、すさまじい勢いで「円高が進行」した。

この一九八五年が、実は戦後の日本の頂点であった。それから一九八九年までのバブルは日本の上昇トレンドの余韻と言ってよいもので、すでにその時点で下降トレンドに入っていたのだ。

輸出で成り立つ日本にとって、円高は厳しい逆風となる。円高不況を懸念した政府は、「低金利政策」を取る。この低金利政策は株式や不動産などへの投機を加速させ、やがて日本は「バブル経済」へと突入することになる。

一九八七年一〇月には、「ブラックマンデー」と呼ばれる世界的な株の暴落が起き、日経平均株価はわずか一日で一四・九％という過去最大の下落率を記録した。しかし、これほどの大暴落にも関わらず、株価の回復に時間はかからなかった。日経平均は翌八八年四月には暴落前の高値を更新し、さらなる上昇を続けた。

また、「土地は必ず値上がりする」という「土地神話」がまことしやかに語られ、投機ブームの中で「地価も高騰」して行った。東京23区の地価でアメリカ全土が購入できると言われるほどの異常な過熱状態にあり、企業も個人もさらには銀行までもが借金を膨らませながら投機を拡大して行った。振り返って見れば、株式、不動産共にこの頃が日本のバブルの〝最後の吹き上げ〟であった。

一九八九年一二月二九日。大納会のこの日、日経平均株価はついに三万八九一五円の最高値を記録した。この記録は、今もなお日本株の史上最高値であり、戦後日本の上り坂のピークを象徴する。そして三〇年以上経った今もなお、この時の株価を上回ることができない状況こそが、その後の日本経済の衰退を象徴している。

今にして思うと、この年は「時代の転換点」と呼ぶにふさわしい出来事がいくつも起きた年であった。年頭には昭和天皇が崩御され、「昭和」という時代が幕を閉じた。秋には「ベルリンの壁崩壊」という、誰もが想像できなかった歴史的大事件が起きている。これをきっかけに、「米ソ冷戦構造」という戦後の枠組みが崩れて行った。

そして一九九〇年、ついに巨大トレンドの大転換が訪れる。それは、太平洋戦争におけるミッドウェー海戦のような一大転機であり、一九五〇年から続いた壮大な上り坂のトレンドの終わりを意味していた。

驚異の四〇年パターン④

バブル崩壊以降の下り坂

一九九〇年二月中旬、ほんの二ヵ月ほど前まで〝破竹の勢い〟で上昇していた日本株が、突如として暴落を開始する。〝バブル崩壊〟の号砲が鳴った瞬間であった。同時にそれは、戦後四〇年間続いた上り坂が終わり、この後四〇年間続くであろう下り坂が始まった瞬間でもあった。

東京株式市場は、まさに阿鼻叫喚《あびきょうかん》。新聞各紙の夕刊に「日経平均暴落！　午前〇〇〇円安」といった記事が連日のように報じられた。数年にわたり、日本全体が騒然とする日々が始まった。一九九二年の夏には、日経平均株価はピークの約三分の一、一万四三〇〇円まで下落した。新聞を見ても「これ以上下がると、日本は潰れる」と言わんばかりの論調が紙面をにぎわした。

暴落する株式市場に対し、当時の政府は後に「ＰＫＯ（株価維持政策）」と呼ばれる愚策を行なった。郵貯・簡保の巨額のお金を使って株を買い支えたのだ。

これにより、一九九三〜九四年にかけて日経平均株価は二万円前後まで値を戻した。

しかし、株価を人為的に操作して株式市場が健全でいられるはずがない。本来下がるべきはずのものが下がらなくなったわけで、そのツケはいずれ回ってくるのが必定である。結局、一九九五年には日経平均株価は再度急落し、一九九二年と同じ水準まで逆戻りする始末であった。

何しろ、一九九五年は波乱の年であった。年明け早々に「阪神・淡路大震災」が発生し、神戸を中心に甚大な被害をもたらした。追い打ちをかけるように「地下鉄サリン事件」が発生し、日本の安全神話はもろくも崩れ落ちた。為替市場では円高が加速し、四月には一ドル＝七九円という驚くべき水準に達した。それまで「絶対に潰れない」と言われた銀行にまで信用不安が飛び火し、信金、信組を中心に「取り付け騒ぎ」や「破綻」が相次いだ。

政府は性懲《しょうこ》りもなく再びＰＫＯを実施し、一九九六年にかけて日本の株式市場はフワーッと再度浮揚した。しかし、その後の展開はおして知るべし。一九九七〜九八年にかけて再度、下落の坂を転げ落ちて行く。

一九九七〜九八年にかけ、拓銀や山一證券をはじめ日本の大手金融機関が相次いで破綻した。日本の金融システムは大きく動揺し、この不況が単なる不況ではないと国民の多くが思い知らされることになる。

この頃から「デフレ」という言葉を頻繁に耳にするようになり、モノが売れず、価格がどんどん下がって行った。株価も、さらなる下落を続けた。二〇〇三年四月、日経平均は七六〇三円という安値を付け、ようやく大底を打った。株式市場は恐怖に支配され、「株を買う人間は頭がおかしい」と言われるほどの総悲観の状態であった。

二〇〇三年五月の「りそな銀行への公的資金注入」をきっかけに、日本株は上昇トレンドに転換、二〇〇七年七月には一万八〇〇〇円台まで戻したが、翌二〇〇八年にリーマン・ショックが起きると再び暴落、同年一〇月には六九九四円を付け、バブル崩壊後の最安値を記録した。

二〇一一年には「東日本大震災」による甚大な被害もあり、景気は冷え込む一方であった。そのような中、日本経済に再び大きな転機が訪れる。二〇一二年一二月の安倍首相の再登板である。安倍氏は「大胆な金融政策」「機動的な財政政策」「民間投資を喚起する成長戦略」という三つの政策を掲げ、これを「三本の矢」と称してデフレからの脱却や本格的な経済成長を目指した。

そして「大胆な金融政策」を担うべく、日銀総裁に登用されたのが黒田氏だ。二〇一三年四月、黒田日銀は「量的・質的金融緩和政策」と呼ばれる、強力な金融緩和策を打ち出した。黒田氏が総裁に就任し、最初の金融政策決定会合後の記者会見は実に印象的であった。物価目標は二年で二％、マネタリーベース（資金供給量）は二年で二倍、長期国債の保有と平均残存期間を二年で二倍以上にするというように、「二」という数字を巧みに使って、一般国民にもわかりやすく日銀の方針を説明したのだ。

この緩和策は「異次元緩和」「黒田バズーカ」とも呼ばれる空前のスケールとなった。「ようやく日本もデフレから脱却できる」と期待が高まり、黒田日銀による異次元緩和は円安と株高を強力に促した。大企業を中心に企業業績にもそれなりの回復が見られた。

しかし、これ以上ないというほどのばら撒きをしてきたにも関わらず、景気は上向かず、賃金も上がらず、物価も金利も上げることができなかった。むしろ副作用の方が大きくなりつつある。政府の発行する国債を市場を通じて日銀が大量に買い取り、大量の資金を供給するのが「異次元緩和」だ。「中央銀行」は紙幣を発行できるから、理屈上は政府が発行した国債を際限なくいくらでも買い取ることができる。しかし、それを認めれば貨幣価値は暴落し「ハイパーインフレ」になりかねないから、財政法で禁じられている。

黒田日銀による異次元緩和は、この「国債の直接引き受け」と事実上変わらない。すでに日銀の国債保有額は五〇〇兆円を超えており、これは国債発行残高の五〇％以上を占める異常な規模だ。

二〇二〇年以降、「新型コロナパンデミック」や「ロシアによるウクライナ侵攻」もあり、世界的にインフレが進んでいる。日本も例外ではなく、消費者物価指数は二〇二三年には四％を超えた。インフレを抑えるには政策金利を引き上げるのが定石《じょうせき》だが、日本は金利を上げることができない。政府の借金があまりにも巨額だからだ。数％でも金利が上がろうものなら利払い負担が大幅に増えてしまい、まともな予算など組めなくなる。

世界各国は定石通り、インフレを抑えるために利上げを行なっているため、日本との金利差が拡大し大幅な円安が進行している。円安は輸入インフレをもたらすから、ますますインフレに拍車をかける悪循環だ。もはや、この国に「出口戦略」は存在せず、だましだまし少しずつ政策修正して行く他ない状況だ。

現在は、まさにバブル崩壊以降の下り坂の真っ只中にあるわけだが、この「四〇年パターン」に当てはめた場合、次のパラダイム大転換は二〇二五年頃と考えられる。前回の上り坂のピークを一九九〇年とすれば二〇三〇年ということになるが、私は二〇二五年頃と見ている。というのも、先ほども書いたように本当の意味での前回のピークは一九八五年と考えているからだ。その後の五年はバブルであり、いわば成長の余韻にすぎない。実質的には一九八五年をピークに成長の余韻を引きずりつつ下落局面に入り、徐々に衰退の速度を増しながら四〇年後の二〇二五年の大底めがけて進んでいるのが、今の日本の姿だ。

近代以降、日本では「明治維新」「太平洋戦争における敗戦」と「二度のパラダイム大転換」に見舞われた。そして、過去二回のパラダイム大転換のいずれにおいても「破産」の憂《う》き目に遭っている。明治維新の時は「江戸幕府が破産」していたし、太平洋戦争敗戦時は「大日本帝国が破産状態」にあった。

現在の日本国政府も、敗戦当時にまったく引けをとらない莫大な借金を抱えている。政府の財政運営はいよいよ限界が近付き、日本の国家破産はすでに時間の問題になっている。

二〇二五年から二〇三〇年頃には、世の中が根本から変わる大変動がやってきても不思議ではない。そして、過去二回のパラダイム大転換と同様、今回のパラダイム大転換においても「国家破産を伴う」ものと確信している。

人間の愚かな過ちと共に、歴史は繰り返される。二〇二五年から二〇三〇年――私たちは歴史的なパラダイム大転換を目の当たりにすることになるだろう。

極めて深刻な不況をもたらす「覇権の移行期」

現在、世界が激動の時代にあることに異論のある人はほとんどいないだろう。日本は本格的な危機や混乱の前夜と言えるが、世界を見渡せば「ロシアによるウクライナ侵攻」「地球温暖化による異常気象の常態化と大規模災害の多発」「インフレ進行による経済力低下」など、すでに危機や混乱の巨大な渦に巻き込まれているいくつもの国や、そこに暮らす多くの人たちが存在する。

これらの災難についても、歴史のパターン性からすれば、やはり必然と考えざるを得ない。その歴史のパターン性こそが「覇権の移行」と「八〇〇年周期説」だ。では、「覇権の移行」のパターンから見て行こう。

世界の覇権は古代ローマ帝国の「パックス・ロマーナ」（ローマの支配による世界平和）に始まる。そして一五世紀以降、覇権はおよそ一〇〇年ごとにベネチア、スペイン、オランダ、イギリスへと移り、第二次世界大戦が終わる頃にはアメリカが世界の覇権を握り現在に至る。そして覇権の移行期には、世界はあらゆる面で非常に不安定になる。

その一つが「バブルの膨張と崩壊」だ。「覇権の移行期」、つまり一つの帝国が没落しつつある時、必ず次の大国が金融大国として登場し、そこに世界の富が集まる。やがて投機熱が高まって、巨大なバブルが発生する。

しかし日本の「四〇年パターン」と同様、この世の中に永遠に続く上り坂も繁栄も存在しない。急激に上昇しすぎた相場は必ず失速し、地面に叩き付けられる。このバブルの大崩壊により、その国だけでなく世界は大きく混乱する。

実際、スペインからオランダへの覇権の移行期には、世界の金融大国となりつつあったオランダで「チューリップ熱」と呼ばれる投機ブームとその後に続く大暴落があり、オランダ経済は瀕死《ひんし》の重傷を負うこととなった。

また一八世紀には、オランダに代わって世界の大国となりつつあったイギリスで「南海バブル事件」が発生し、イギリス経済とその威信《いしん》は元の姿を取り戻すのに数十年かかっている。

そして二〇世紀前半、イギリスからアメリカへと覇権が移行した際には、世界はかつてないほどの大激震に見舞われた。覇権がアメリカへ完全に移りきる一九四五年までの間に世界は「大恐慌」を経験し、その前後に「第一次、第二次の両大戦」を味わうこととなったのだ。世界中で数千万人の人間が悲惨な死を遂げ、無数の投資家が全財産を失い途方に暮れた。そして前回の大恐慌では興隆しつつあったアメリカが株式市場の暴落など、経済的に最もひどい目に遭った。

ところで、覇権の移行を単純に考えた場合、「没落しつつある国のダメージの方が、興隆しつつある国のダメージよりも大きい」と考えるのが普通だろう。しかしそれは誤りで、実際はまったく逆だ。没落しつつある大国は、その弱点のためにかえって優位に立つことが多く、それ以外の国々が世界システムの崩壊に伴う混乱に苦しむ。次の覇権国家の力が全世界に行きわたって初めて、旧覇権国家は自分の没落に甘んじることになる。逆に興隆しつつある国、つまり次の覇権国家となり得る国が、最もすさまじい打撃を受けるのだ。

覇権は800年の波の中で国家間を移動

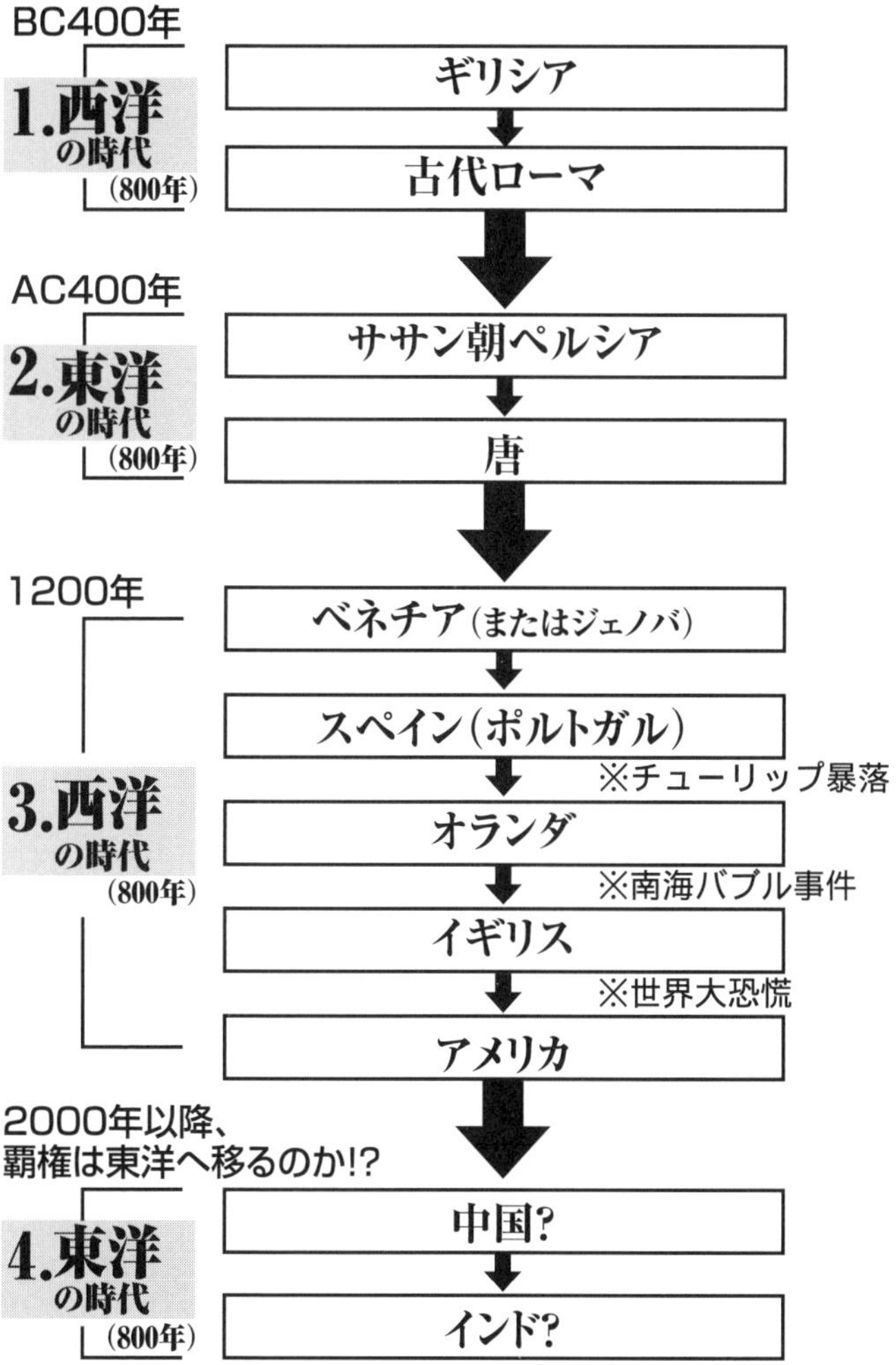

このように覇権国家が没落し、別の国が経済大国として世界史に登場し始めた時、例外なくその国で大規模なバブルが発生し、バブルが弾けた後はいつも長期の深刻な不況、すなわち「恐慌」に見舞われている。つまり「覇権の空白期」こそ、経済にとって一番危ない時期なのだ。

そして、世界はいよいよ覇権の移行期に入りつつあると見られる。アメリカの覇権も、やがて別の国に移行する。次の覇権大国は、おそらく中国だろう。事実、中国では現在、巨額債務に苦しむ「中国恒大集団」、ドル建て社債でデフォルト（債務不履行）が生じたと認定された中国不動産最大大手「碧桂園」が象徴するように不動産不況が深刻化し、いよいよ巨大なバブルが弾けつつあるのだ。

八〇〇年振りの文明交代期は、危険極まりない「大動乱の時代」

「覇権の移行」はおよそ一〇〇年単位のサイクルで起きているが、実は歴史のサイクルには、さらに八〇〇年を一つの単位とする巨大かつ極めて重要なサイクルがある。世界の歴史というのは、八〇〇年ごとに東洋と西洋の力関係が入れ換わってきた。つまり、東洋と西洋の文明は八〇〇年ごとに興隆と没落を繰り返してきたのだ。

「八〇〇年周期説」によると、八〇〇年ごとに地球規模で天変地異が起こり、急速な寒冷化が進む。その結果、食糧が不足し、特に北方の民族が飢餓からやむにやまれず民族大移動を起こし、先進文明地域に大挙武装難民と化して襲いかかるため壮大な文明も一挙に崩壊する。こうして戦乱と大混乱が起き、帝国あるいは文明の消失・没落を引き起こす。

特に問題なのは、八〇〇年ごとに訪れる「文明交代期」だ。ほぼ一〇〇年にわたる移行期は「覇権の移行期」と同様、危険極まりない大動乱期なのだ。覇権の移行が「恐慌」を引き起こすのに対し、文明の波という壮大な津波の移行は、地球規模の「民族大移動」「戦乱」帝国そして時には文明そのものの「没落や消滅」を引き起こす。その衝撃は、恐慌どころではない。これまで八〇〇年ごとに繰り返されてきた東西文明の盛衰を、簡単に振り返っておこう。

今から三二〇〇年以上前、ヨーロッパには「エーゲ海文明」と呼ばれる壮大な文明が栄えていたが、ある時を境に地上から消えてしまった。「エーゲ海文明」と同じく、西洋に位置付けられる「エジプト文明」もその少し後に没落して行った。実は当時、世界的規模で急速な寒冷化が起きていた。それが「民族大移動」の引き金となり、「エーゲ海文明」を破滅へと追いやったのだ。

こうして西洋が興隆した時代は終わった。紀元前一二世紀から四世紀にかけての八〇〇年間、西洋は没落の時代を過ごし、逆に東洋が興隆した。「中国古代文明」「インド古代文明」「アッシリア・ペルシア文明」が花開いたのである。

その八〇〇年後、紀元前四世紀頃に再び文明の交代劇が起きる。今度は、東洋の各文明が没落あるいは全滅という悲運を迎える。中でも「古代ペルシア」は、「アレキサンダー大王の東征」によりあっという間に滅亡した。東洋が没落する一方、西洋にはギリシア、ローマという壮大な文明が花開き、紀元前四世紀から紀元後四世紀にかけてほぼ八〇〇年間地中海に君臨した。

特に「ローマ帝国」は、古代西洋における最大の帝国として栄華を極めた。しかし、広大な国土を支配するための軍事費が膨張し、コロセウムから大浴場に至る壮大な公共施設の建設費や維持費などの負担も重くのしかかり、財政破綻状態に陥った。ハイパーインフレと文明の爛熟《らんじゅく》による退廃が社会全体を覆い、軍隊も弱体化して行った。

そのような中、世界的な天候異変により穀物生産が激減、食糧危機に陥った北方の「ゲルマン民族」が一斉に民族大移動を始め、武装難民と化してローマ帝国に攻め入った。ついにローマ帝国も滅亡の時を迎え、ヨーロッパは暗黒の中世の時代へと突入して行く。ローマ帝国をもってしても、やはり八〇〇年周期の法則から逃れることはできなかった。

没落する西洋に代わり、今度は「東洋の時代」が始まる。中国では「唐」という中国史上最大の帝国が栄え、アラビア地域には「ササン朝ペルシア」や「サラセン文明」が花開き、東南アジアにもボロブドール、アンコールワットなどの独自文明が栄えた。ペルシアの首都バクダット、大唐帝国の首都長安は人

隆盛と衰退が入れ替わる

（美術、芸術の隆昌）　（学術、科学技術、機械と工業化）

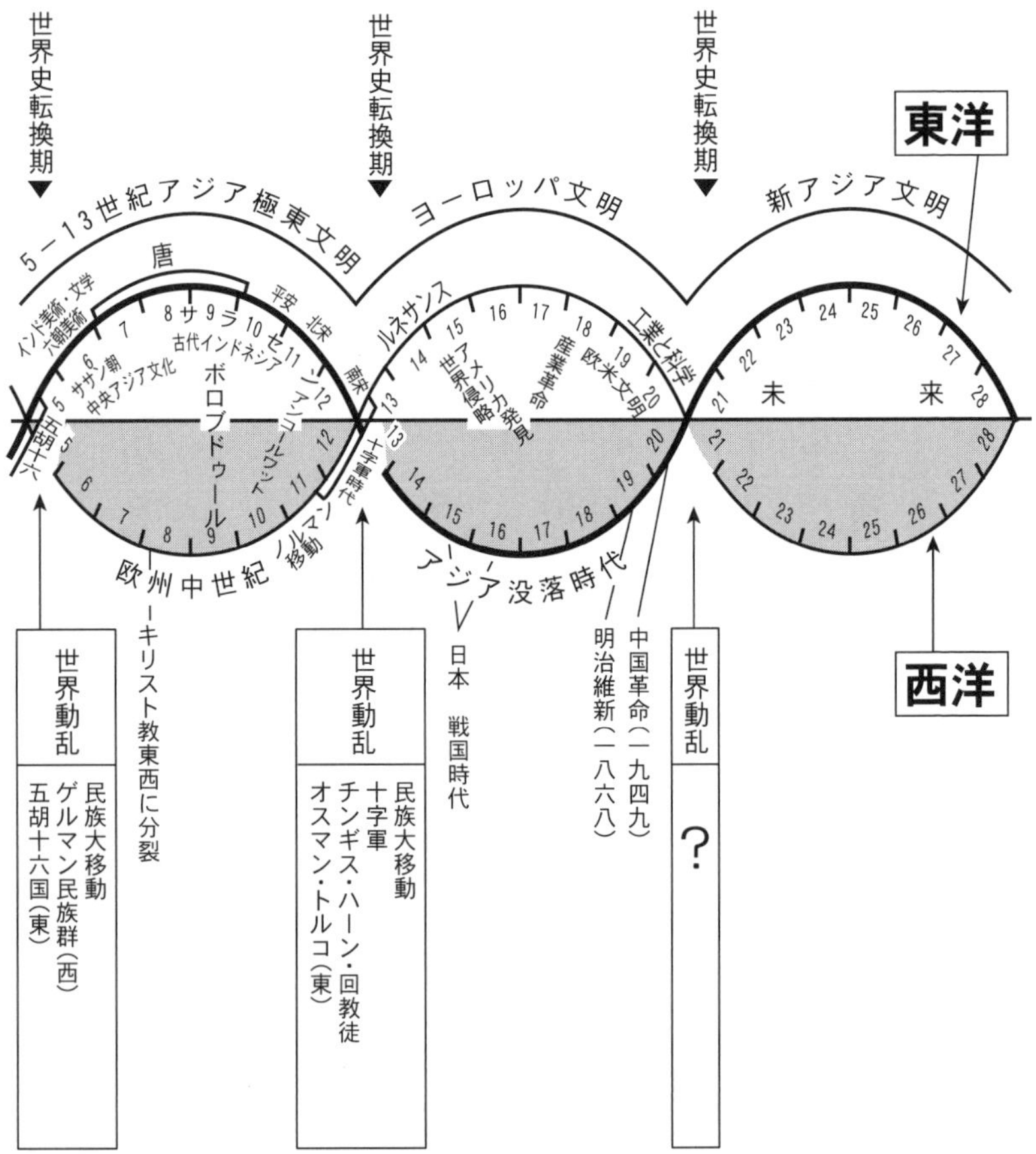

東洋と西洋の文明は800年ごとに

（司祭者王権の文明）　（宗教教義の組織化）　（市民共和制……大帝国）

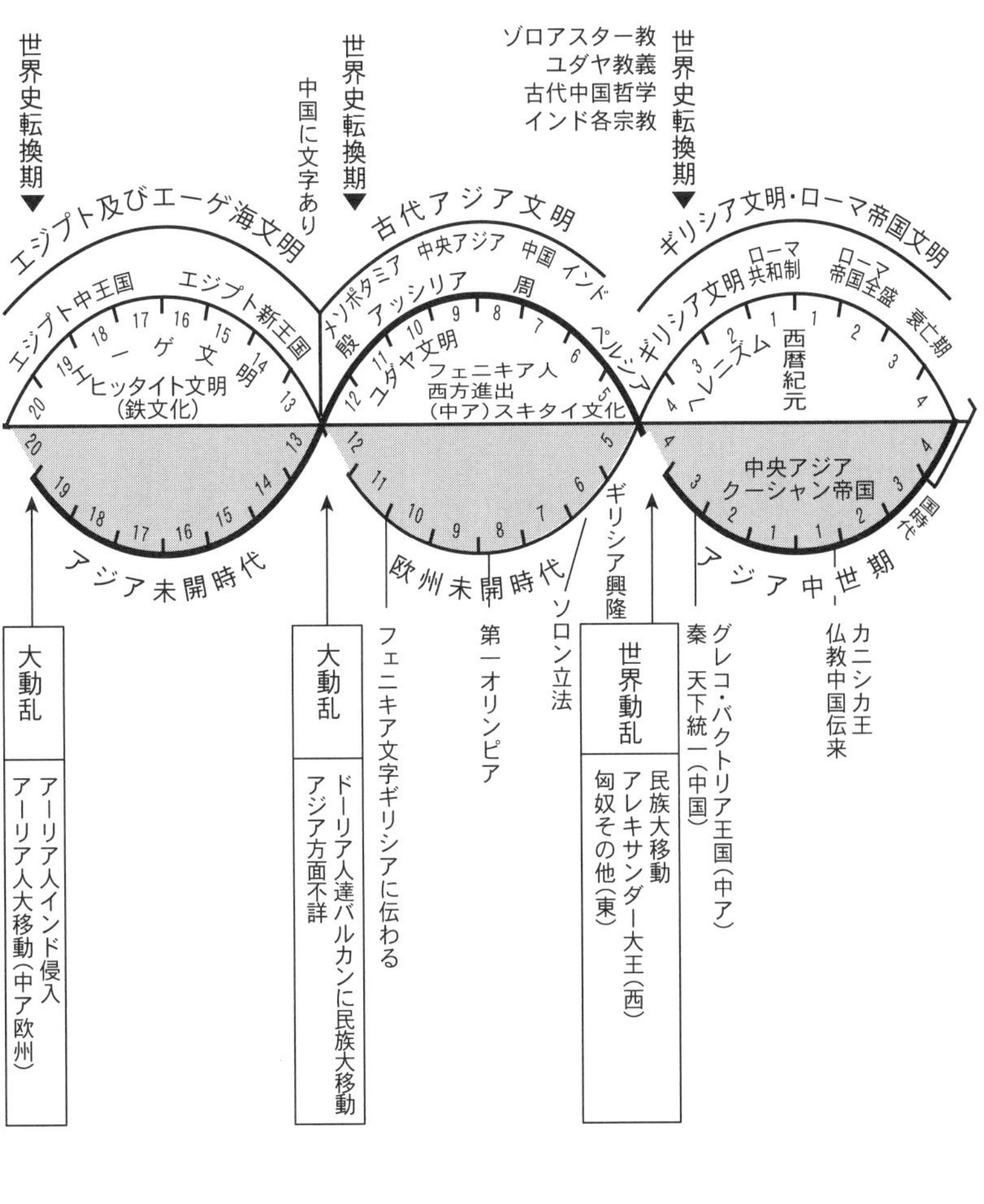
世界史転換期
世界史転換期
世界史転換期
中国に文字あり
ゾロアスター教
ユダヤ教義
古代中国哲学
インド各宗教
エジプト及びエーゲ海文明
古代アジア文明
ギリシア文明・ローマ帝国文明
エジプト中王国
エジプト新王国
エーゲ文明
ヒッタイト文明（鉄文化）
メソポタミア
中央アジア
中国
インド
殷
アッシリア
周
ペルシア
ユダヤ文明
フェニキア人西方進出
（中ア）スキタイ文化
ギリシア文明
ローマ共和制
ローマ帝国全盛
衰亡期
ヘレニズム
西暦紀元
中央アジアクーシャン帝国
三国時代
アジア未開時代
欧州未開時代
アジア中世期
ギリシア興隆
ソロン立法
第一オリンピア
フェニキア文字ギリシアに伝わる
大動乱
アーリア人インド侵入
アーリア人大移動（中ア欧州）
大動乱
ドーリア人達バルカンに民族大移動
アジア方面不詳
世界動乱
民族大移動
アレキサンダー大王（西）
匈奴その他（東）
秦　天下統一（中国）
グレコ・バクトリア王国（中ア）
カニシカ王
仏教中国伝来

口二〇〇万人を擁《よう》し、世界的な大都市として大いに栄えた。

対照的に、ヨーロッパの都市は著しく衰退した。人口は一般の集落で五〇～六〇人程度、首都レベルの大都市でさえ、わずか五〇〇〇～六〇〇〇人程度にすぎなかった。その程度の人口しか維持できない状態だったということだ。

それでも、やはり文明交代期は訪れた。永遠に続く帝国も文明も存在しないのだ。今から八〇〇年前、つまり紀元一二〇〇年頃の前回の文明の移行期には東洋が没落し、西洋が繁栄の時を迎える。

大きなきっかけとなったのが「十字軍の遠征」だ。一〇九六年以降、七回にわたり若い男たちが東へと進軍した。十字軍の遠征も文明移行期特有の民族大移動の一種と考えてよいだろう。ヨーロッパの若い兵士たちは、東方の光り輝く文明を目の当たりにして驚がくした。彼らは略奪の限りを尽くし、十字軍兵士が乗り込んだ帰路の船内は略奪品であふれていたという。そこから地中海航路が始まり、その際の陸揚げの貿易港としてイタリアのベネチアが栄え始める。

こうして東方の高度な文明がベネチア（ベニス）、フィレンツェに伝わる。富も蓄積され、「ルネッサンス」が花開く。またメディチ家が「銀行業」を営み、複式簿記を整えて、近代的な金融システムの芽が出始める。こうして「資本主義の基礎」が形作られて行った。この八〇〇年間、西洋は火薬革命、大航海時代より始まる「植民地主義」「産業革命」などによって強大な力を蓄え、圧倒的な軍事力で東洋を支配した。

そして、いよいよ一二〇〇年から二〇〇〇年までにかけての、西洋が興隆し東洋が没落した八〇〇年間が終わりつつある。八〇〇年周期説によれば、今度は西洋が没落し、東洋が興隆する番だ。日本を先頭ランナーとして中国、東南アジア、そしてインドに至るアジア経済の勃興が何よりの証拠だ。私たちは今、八〇〇年振りの文明移行期を生きているのだ。

しかし、文明の移行期というのは天変地異や民族大移動、さらには戦争など、多くの困難をもたらす「大動乱期」である。このことを踏まえれば、この数十年に発生したテロや戦争、経済危機、頻発する巨大災害などが歴史の必然であることが理解できるだろう。私たちは今、八〇〇年振りの文明の移行期を迎えているわけで、これから二一世紀の中頃（二〇五〇年頃）まですさまじい大動乱の時代を生きなければならないということだ。

現在の中国を巡る多くの問題は、覇権の移行期特有の現象か？

「覇権の移行」パターンからすると、現在はアメリカから中国への覇権の移行期にあると考えられ、現時点では次に世界の覇権を握るのは中国である可能性が高い。何しろ、現在の世界には、これまでの覇権の移行期に見られた特徴が見事なほどに再現されている。現在の覇権国家（アメリカ）の力が徐々に弱まることで、世界情勢は非常に不安定になる。次の覇権国家と考えられる国（中国）に富が集まり巨大なバブルが発生、やがて崩壊する。

そして、これまでの覇権の移行パターンと同様、次の覇権国家になり得る中国では、これまでに蓄積された矛盾や膿が一気に吐き出されるように、極めて深刻で解決困難な問題が顕在化しているのだ。

現在、中国にとって最大の問題は不動産不況だろう。不動産規制が導入された二〇二〇年夏以降、中国の不動産市場は急激に冷え込んだ。大手の中国恒大集団は、二〇二三年六月末時点で六四四二億元（一元＝二〇円計算。約一三兆円）の債務超過に陥った。不動産は中国のGDPの三割を占めると言われ、経済全体への影響は極めて大きい。実際、中国の成長率は二〇二三年の五・二％から二〇二四年には四・五％に減速するとIMF（国際通貨基金）は予測する。雇用も悪化し、一六～二四歳の失業率は二割を超えている。

地方政府傘下のインフラ投資会社、「融資平台」の債務膨張も深刻だ。IMFの推計によれば、「融資平台」の債務は二〇二三年の六六兆元から二〇二七年には一〇〇兆元（同左。約二〇〇〇兆円）を超える見通しだと言う。不動産開発会社の経営悪化で地方政府の土地使用権売却収入が急減、「融資平台」のリスクは金融危機に発展しかねない状況だ。不動産価格の上昇を前提とする中国の経済成長モデルは、行き詰まりを見せている。

所得格差も拡大し、都市部では一人あたり可処分所得の上位二〇％と下位二〇%の平均値の差が六・三倍と一九八五年以降で最大となった。人口動態も成長の足かせになりつつある。世界一を誇った人口も、二〇二三年ついに減少に転じ、国連の推計によるとインドに抜かれ一位から陥落した。高齢化も加速する。二〇二二年の六五歳以上の高齢者は、人口全体の一四・九%を占める。長らく続けた「一人っ子政策」が中国の人口減少と高齢化の到来を早めたのは、疑いようがない。

政府は二〇一六年に「一人っ子政策」を廃止し、現在は三人の子供を持つことが認められるようになった。しかし、出生率は一向に上向かない。二〇二二年末時点の中国の出生率（人口一〇〇〇人あたりの生まれた子供の数）は六・七七で、一九四九年の建国以来最低の水準だ。日本の人口一〇〇〇人あたりの出生率六・四（二〇二二年速報値）と比べても、中国の少子化の深刻さがわかる。不動産価格の高騰や教育費の増加などで、出産をためらう人が多いという。それ以前に、婚姻数自体が激減している。初めて結婚する人の数は、過去最多だった二〇一三年の二三八五万人余りから毎年減少し、二〇二一年には一一五七万人余りと八年間で半分以下になっているのだ。これでは子供が増えるわけがない。

高齢化が進む中、介護の問題も深刻だ。一人っ子政策のあおりで、高齢の親を一人で介護しなければならない人が急増している。日本以上に深刻なのは、中国には「介護保険制度がない」ことだ。ヘルパーを頼むのも施設に入居するのも全額自己負担になり、一般庶民には到底負担できるものではない。すると親の介護が必要になると、多くの人が仕事を辞めて自ら介護を行なう。親の年金、貯金では生活できず、自分の貯金も取り崩して苦しい生活を余儀なくされる人が多くいる。経済の活力低下は、避けられない状況だ。

直面するこれらの問題に対する中国政府の対策は、十分な効果を上げているとは言い難く、ちぐはぐ感は否めない。習近平指導部は「共同富裕」（共に豊かになる）をスローガンに掲げ、「住宅は住むためのものであり、投機のためのものではない」という方針の下、融資や負債などの不動産規制を強化したことで不動産不況を招いた。

不動産不況の深刻化を受け、中国政府も対策を講じてはいるものの、大規模な財政政策を打ち出す余裕はない。また、子育てにかかるコストを抑えることで出生率を上げ、教育格差を是正するために学習塾の運営を厳しく規制した。しかしこれは、大学を卒業した若者にとって有望な就職先を奪い、若年失業者を増やす結果となった。このままでは「共同富裕」は幻想に終わり、「未富先老」（豊かになる前に高齢化により衰退する）に直面する可能性が高い。

そうなると、懸念されるのが中国の対外強硬姿勢だ。すでに述べたように、習近平は国力が少しでも強いうちに「国家目標」を実現したいと当然思うことだろう。国内の不動産問題はじめ失業率の問題などから、台湾統一に突破口を見出そうと考えても不思議ではない。米下院中国特別委員会のマイク・ギャラガー委員長（共和党）はこの九月、バイデン大統領の中国による台湾侵略を否定する考えに反して、「中国が深刻な経済・人口問題に直面するに伴い、習近平国家主席のリスク許容度が高まり、予測不可能になって非常に愚かなことを行なう可能性が出てくるとの見方を示した」（ロイター二〇二三年九月一二日付）。

当然、反日姿勢も強まるに違いない。原発処理水の海洋放出に対する中国政府や中国メディアの反発も、その一環だ。

「覇権の移行パターン」によれば、新興大国は最低でも一〇年、最悪の場合は数十年間、バブル後遺症に苦しむことになる。その苦しみは、覇権大国になるための試練と言える。中国がアメリカに代わる覇権国になるとすれば、中国経済の低迷は長期化する可能性が高い。

日本の運命はいかに⁉

「覇権の移行パターン」で世界の覇権がアメリカから中国に、「八〇〇年周期説」で西洋から東洋の時代に移行しつつある中、「四〇年パターン」でどん底が目前に迫る日本の運命は、どのようなものになるだろう。国家破産を伴う大混乱は避けようがないが、逆に言えばその大混乱の後は「四〇年間の上り坂」に向かうはずだ。

実体経済に先行して動く性質がある株式市場も、二〇二五年頃には世界的に大暴落する可能性が高い。その際は日本株も当然、大きく下落するだろう。この大暴落により、先物や信用取引などレバレッジをかけていた投資家の多くは壊滅的な打撃を受ける。現物株に投資する投資家も瀕死の重傷を負い、市場からの退場を余儀なくされる者が相次ぐだろうが、これまでの歴史が示す通り、暴落した株式相場はやがて上昇に転じる。とりわけ日本株については、「四〇年パターン」の上り坂を先取りする形で力強く上昇して行くと考えられる。

しかし、心配なのは「日本という国自体の行く末」だ。地理的には日本は東洋に位置するが、現在の日本はアメリカを中心とする西側陣営、つまり西洋についているのは明らかだ。この点にどう折り合いを付け、中国をはじめとする諸外国と付き合って行くのかが、日本の将来を大きく左右するのは間違いない。アメリカという「世界の警察」は、もはや存在しないのだ。

このような時期には国を立て直す気概が求められるが、高齢化が進む日本の活力は乏しく、有能な若者は賃金の安い日本を飛び出し海外に出て行く始末だ。

国民の平和ボケも不安の種だ。何より、戦時中ですらあり得ないほど悪化を極める財政状態を考えると、国家破産に伴う日本の混乱は長期化することも十分考えられる。一〇年程度の混乱は、覚悟した方がよいだろう。

とにかく現在は「四〇年パターン」「覇権の移行」「八〇〇年周期」のいずれにおいてもサイクルの転換点を迎えているわけで、世の中が混乱しないはずがない。まずは、このことをしっかりと認識するべきだ。

（『２０２５年の衝撃〈下〉』に続く）

■今後、『2025年の衝撃〈下〉』『あなたの円が紙キレになる日』『ドルの正しい買い方』（すべて仮題）を順次出版予定です。ご期待下さい。

浅井隆からの重要なお知らせ

――恐慌および国家破産を勝ち残るための具体的ノウハウ

厳しい時代を賢く生き残るために必要な情報を収集するために

◆〝恐慌および国家破産対策〟の入口「経済トレンドレポート」

電子版も好評配信中！

皆様に特にお勧めしたいのが、浅井隆が取材した特殊な情報をいち早くお届けする「経済トレンドレポート」です。今まで、数多くの経済予測を的中させてきました。そうした特別な経済情報を年三三回（一〇日に一回）発行のレポートでお届けします。初心者や経済情報に慣れていない方にも読みやすい内容で、新聞やインターネットに先立つ情報や、大手マスコミとは異なる切り口からまとめた情報を掲載しています。

さらにその中で、恐慌、国家破産に関する『特別緊急警告』『恐慌警報』『国家破産警報』も流しております。「激動の二一世紀を生き残るために対策をしなければならないことは理解したが、何から手を付ければよいかわからない」「経済情報をタイムリーに得たいが、難しい内容には付いて行けない」という方は、最低でもこの経済トレンドレポートをご購読下さい。年間、約四万円で生き残るための情報を得られます。また、経済トレンドレポートの会員になられます

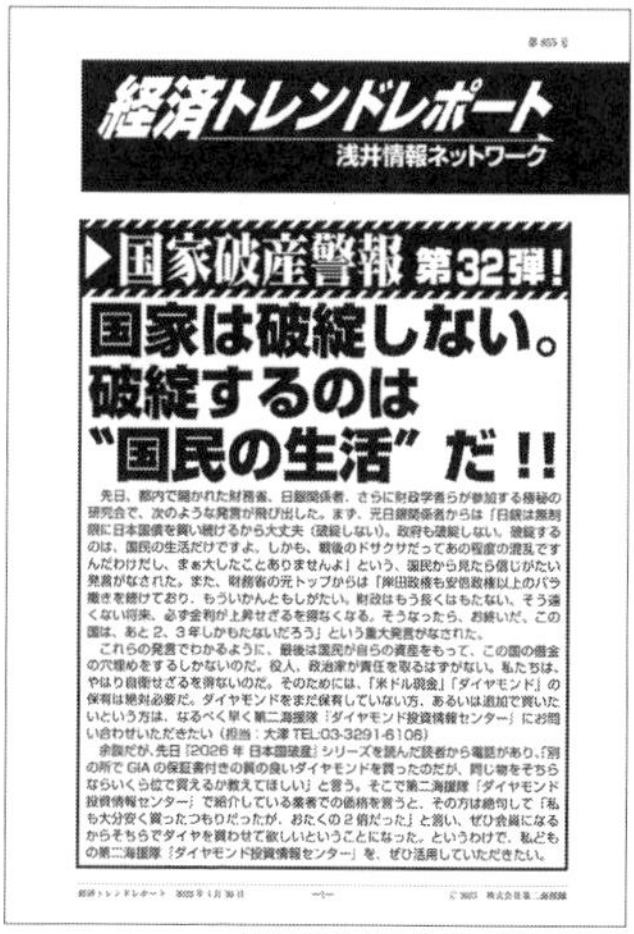
経済トレンドレポート
浅井情報ネットワーク

▶国家破産警報 第32弾！

国家は破綻しない。破綻するのは"国民の生活"だ!!

先日、都内で開かれた財務省、日銀関係者、さらに財政学者らが参加する極秘の研究会で、次のような発言が飛び出した。まず、元日銀関係者からは「日銀は無制限に日本国債を買い続けるから大丈夫（破綻しない）。政府も破綻しない。破綻するのは、国民の生活だけですよ。しかも、戦後のドサクサだってあの程度の混乱ですんだわけだし、まぁ大したことありませんよ」という、国民から見たら信じがたい発言がなされた。また、財務省の元トップからは「岸田政権も安倍政権以上のバラ撒きを続けており、もういかんともしがたい。財政はもう長くはもたない。そう遠くない将来、必ず金利が上昇せざるを得なくなる。そうなったら、お終いだ。この国は、あと2、3年しかもたないだろう」という重大発言がなされた。

これらの発言でわかるように、最後は国民が自らの資産をもって、この国の借金の穴埋めをするしかないのだ。役人、政治家が責任を取るはずがない。私たちは、やはり自衛せざるを得ないのだ。そのためには、「米ドル現金」「ダイヤモンド」の保有は絶対必要だ。ダイヤモンドをまだ保有していない方、あるいは追加で買いたいという方は、なるべく早く第二海援隊「ダイヤモンド投資情報センター」にお問い合わせいただきたい（担当：大津 TEL:03-3291-6106）

余談だが、先日『2026年 日本国破産』シリーズを読んだ読者から電話があり、「別の所でGIAの保証書付きの質の良いダイヤモンドを買ったのだが、同じ物をそちらならいくら位で買えるか教えてほしい」と言う。そこで第二海援隊「ダイヤモンド投資情報センター」で紹介している業者での価格を言うと、その方は絶句して「私も大分安く買ったつもりだったが、おたくの2倍だった」と言い、ぜひ会員になるからそちらでダイヤを買わせて欲しいということになった。というわけで、私どもの第二海援隊「ダイヤモンド投資情報センター」を、ぜひ活用していただきたい。

2023年4月30日号

経済トレンドレポート
浅井情報ネットワーク

▶国家破産警報 第34弾！

この小康状態（2023～24年）の後に巨大な衝撃がやってくる！！その時期は2025～2026年頃か！？

昨年と違い、今年は日本国債といい為替（ドル／円）といい、小康状態が続いている。しかし、これはあくまでも嵐の前の静けさといってよい。

政府の借金は着実に増えており、改善する気配は全くない。日銀が、国債の貸し出しをやめて海外勢が売りをしづらくしているから国債が売られないだけで、基本的構造に何の変化もない。マグマだけが静かに不気味に溜まって行く。この状況は短くて1年、長ければ2年は続くだろう。

次に危機がくるとすれば、それは為替が発端となることだろう。何かのキッカケでドル／円は160円を突破するはずだ。その時期は、2025年頃か。原因は台湾有事か、天災（南海トラフか首都直下型大地震、または富士山大噴火）となる可能性が高い。ドル／円は160円を超えた後、一気に200円または260円まで行くだろう。そうなれば、輸入インフレが国内を襲い、金利が上がらざるを得なくなる。事態がここまでくると日銀がいくら買っても国債は暴落せざるを得なくなり、一瞬で国家破産状況へ進むことになる。ただ、理論上は日銀は無制限に国債を買えるので、それを実行した場合、金利は上昇しないがインフレは止まらなくなり、円は紙キレとなる。いずれにせよ、この小康状態の間に最後の準備（米ドルの現金備蓄とダイヤモンドの買い増し）をするべきだ。

2023年5月30日号

「経済トレンドレポート」は情報収集の手始めとしてぜひお読みいただきたい。

と、当社主催の講演会など様々な割引・特典を受けられます。
■詳しいお問い合わせ先は、㈱第二海援隊　担当：島﨑
TEL：〇三（三二九一）六一〇六　FAX：〇三（三二九一）六九〇〇
Eメール：info@dainikaientai.co.jp
ホームページアドレス：http://www.dainikaientai.co.jp/

恐慌・国家破産への実践的な対策を伝授する会員制クラブ

私が以前から警告していた通り、いまや世界は歴史上最大最悪の約三京円という額の借金を抱え、それが新型コロナウイルスをきっかけとして二〜三年以内に大逆回転しそうな情勢です。中でも日本国政府の借金は先進国中最悪で、この国はいつ破産してもおかしくない状況です。そんな中、あなたと家族の生活を守るためには、二つの情報収集が欠かせません。

一つは「国内外の経済情勢」に関する情報収集、もう一つは国家破産対策としての「海外ファンド」や「海外の銀行口座」に関する情報収集です。これら

については、新聞やテレビなどのメディアやインターネットでの情報収集だけでは十分とは言えません。私はかつて新聞社に勤務し、以前はテレビに出演をしたこともありますが、その経験から言えることは「新聞は参考情報。テレビはあくまでショー（エンターテインメント）」だということです。インターネットも含め、誰もが簡単に入手できる情報でこれからの激動の時代を生き残って行くことはできません。

皆様にとって、最も大切なこの二つの情報収集には、第二海援隊グループ（代表：浅井隆）が提供する特殊な情報と具体的なノウハウをぜひご活用下さい。

◆「自分年金クラブ」「ロイヤル資産クラブ」「プラチナクラブ」

国家破産対策を本格的に実践したい方にぜひお勧めしたいのが、第二海援隊の一〇〇％子会社「株式会社日本インベストメント・リサーチ」（関東財務局長（金商）第九二六号）が運営する三つの会員制クラブ（**「自分年金クラブ」「ロイヤル資産クラブ」「プラチナクラブ」**）です。

まず、この三つのクラブについて簡単にご紹介しましょう。**「自分年金クラブ」**は資産一〇〇〇万円未満の方向け、**「ロイヤル資産クラブ」**は資産一〇〇〇万～数千万円程度の方向け、そして最高峰の**「プラチナクラブ」**は資産一億円以上の方向け（ご入会条件は資産五〇〇〇万円以上）で、それぞれの資産規模に応じた魅力的な海外ファンドの銘柄情報や、国内外の金融機関の活用法に関する情報を提供しています。

恐慌・国家破産は、なんと言っても海外ファンドや海外口座といった「海外の活用」が極めて有効な対策となります。特に海外ファンドについては、私たちは早くからその有効性に注目し、二〇年以上にわたって世界中の銘柄を調査してまいりました。本物の実力を持つ海外ファンドの中には、恐慌や国家破産といった有事に実力を発揮するのみならず、平時には資産運用としても魅力的なパフォーマンスを示すものがあります。こうした情報を厳選してお届けするのが、三つの会員制クラブの最大の特長です。

その一例をご紹介しましょう。三クラブ共通で情報提供する「ATファンド」

は、年率五～七％程度の収益を安定的に挙げています。これは、たとえば年率七％なら三〇〇万円を預けると毎年約二〇万円の収益を複利で得られ、およそ一〇年で資産が二倍になる計算となります。しかもこのファンドは、二〇一四年の運用開始から一度もマイナスを計上したことがないという、極めて優秀な運用実績を残しています。日本国内の投資信託などではとても信じられない数字ですが、世界中を見渡せばこうした優れた銘柄はまだまだあるのです。

冒頭にご紹介した三つのクラブでは、「ATファンド」をはじめとしてより高い収益力が期待できる銘柄や、恐慌などの有事により強い力を期待できる銘柄など、様々な魅力を持ったファンド情報をお届けしています。なお、資産規模が大きいクラブほど、取り扱い銘柄数も多くなっております。

また、ファンドだけでなく金融機関選びも極めて重要です。単に有事にも耐え得る高い信頼性というだけでなく、各種手数料の優遇や有利な金利が設定されている、日本に居ながらにして海外の市場と取引ができるなど、金融機関も様々な特長を持っています。こうした中から、各クラブでは資産規模に適した、魅力的な条件を持つ国内外の金融機関に関する情報を提供し、またその活用方法についてもアドバイスしています。

その他、国内外の金融ルールや国内税制などに関する情報など資産防衛に有用な様々な情報を発信、会員の皆様の資産に関するご相談にもお応えしております。浅井隆が長年研究・実践してきた国家破産対策のノウハウを、ぜひあなたの大切な資産防衛にお役立て下さい。

■詳しいお問い合わせは「㈱日本インベストメント・リサーチ」

TEL：〇三（三二九一）七二九一　FAX：〇三（三二九一）七二九二

Eメール：info@nihoninvest.co.jp

株で資産を作れる時代がやってきた！"四つの株投資クラブ"のご案内

一「㊙株情報クラブ」

「㊙株情報クラブ」は、普通なかなか入手困難な日経平均の大きなトレンド、現物個別銘柄についての特殊な情報を少人数限定の会員制で提供するものです。しかも、「ゴールド」と「シルバー」の二つの会があります。目標は、提供した情報の八割が予想通りの結果を生み、会員の皆様の資産が中長期的に大きく殖えることです。そのために、日経平均については著名な「カギ足」アナリストの川上明氏が開発した「T1システム」による情報提供を行ないます。川上氏はこれまでも多くの日経平均の大転換を当てていますので、これからも当クラブに入会された方の大きな力になると思います。

また、その他の現物株（個別銘柄）については短期と中長期の二種類にわけて情報提供を行ないます。短期については川上明氏開発の「T14」「T16」という二つのシステムにより日本の上場銘柄をすべて追跡・監視し、特殊な買いサインが出ると即買いの情報を提供いたします。そして、買った値段から一〇％上昇したら即売却していただき、利益を確定します。この「T14」「T16」は、これまでのところ当たった実績が九八％という驚異的なものとなっております（二〇一五年一月〜二〇二〇年六月におけるシミュレーション）。

さらに中長期的銘柄としては、浅井の特殊な人脈数人および第二海援隊の一〇〇%子会社である㈱日本インベストメント・リサーチの専任スタッフが選び抜いた日・米・中三ヵ国の成長銘柄を情報提供いたします。特に、スイス在住の市場分析・研究家、吉田耕太郎氏の銘柄選びには定評があります。参考までに、吉田氏が選んだ三つの過去の銘柄の実績を挙げておきます（「㊙株情報クラブ」発足時の情報です）。

まず一番目は、二〇一三年に吉田氏が推奨した「フェイスブック」（現「メタ」）。当時二七ドルでしたが、それが三〇〇ドル超になっています。つまり、七～八年で一〇倍というすさまじい成績を残しています。二番目の銘柄としては、「エヌビディア」です。こちらは二〇一七年、一〇〇ドルの時に推奨し、六〇〇ドル超となっていますので、四年で六倍以上です。さらに三番目の銘柄の「アマゾン」ですが、二〇一六年、七〇〇ドルの時に推奨し、三二〇〇ドル超です。こちらは五年で四・五倍です。こういった銘柄を中長期的に持つということは、皆様の財産形成において大きく資産を殖やせるものと思われます。

そこで、「ゴールド」と「シルバー」の違いを説明いたしますと、「ゴールド」は小さな銘柄も含めて年四～八銘柄を皆様に推奨する予定です。これはあくまでも目標で年平均なので、多い年と少ない年があるのはご了承下さい。「シルバー」に関しては、小さな銘柄（売買が少なかったり、上場されてはいるが出来高が非常に少ないだけではなく時価総額も少なくてちょっとしたお金でも株価が大きく動く銘柄）は情報提供をいたしません。これは、情報提供をするとそれだけで上がる危険性があるためです（「ゴールド」は人数が少ないので小さな銘柄も情報提供いたします）。そのため、「シルバー」の推奨銘柄は年三～六銘柄と少なくなっております。

「ゴールド」はまさに少人数限定二〇名のみ、「シルバー」も六〇名限定となっております。「シルバー」は二次募集をする可能性もあります。

クラブは二〇二一年六月よりサービスを開始しており、すでに会員の皆様へ有用な情報をお届けしております。なお、「㊙株情報クラブ」「ボロ株クラブ」の内容説明会を収録したＣＤを二〇〇〇円（送料込み）にてお送りしますのでお問い合わせ下さい。

皆様の資産を大きく殖やすという目的のこの二つのクラブは、皆様に大変有益な情報提供ができると確信しております。奮ってご参加下さい。
■お問い合わせ先：㈱日本インベストメント・リサーチ「㊙株情報クラブ」
TEL：〇三（三二九一）七二九一　FAX：〇三（三二九一）七二九二
Eメール：info@nihoninvest.co.jp

二「ボロ株クラブ」

「ボロ株」とは、主に株価が一〇〇円以下の銘柄を指します。何らかの理由で売り叩かれ、投資家から相手にされなくなった〃わけアリ〃の銘柄もたくさんあり、証券会社の営業マンがお勧めすることもありませんが、私たちはそここそ収益機会があると確信しています。

過去一〇年、〃株〃と聞くと多くの方は成長の著しいアメリカのICT（情報通信技術）関連の銘柄を思い浮かべるのではないでしょうか。アップルやFA

NG〈フェイスブック〈現「メタ」〉、アマゾン、ネットフリックス、グーグル〉、さらには大手EVメーカーのテスラといったICT銘柄の騰勢は目を見張るほどでした。しかし、こうした銘柄はボラティリティが高くよほどの〝腕〟が求められることでしょう。

「人の行く裏に道あり花の山」という相場の格言があります。「人はとかく群集心理で動きがちだ。いわゆる付和雷同である。ところが、それでは大きな成功は得られない。むしろ他人とは反対のことをやった方が、うまく行く場合が多い」とこの格言は説いています。すなわち、私たちはなかば見捨てられた銘柄にこそ大きなチャンスが眠っていると考えています。実際、「ボロ株」はしばしば大化けします。ボロ株クラブは二〇二一年六月より始動していますが、小型銘柄（ボロ株）を中心として数々の実績を残しています。過去のデータが欲しいという方は当クラブまでお電話ください。

もちろん、やみくもに「ボロ株」を推奨して行くということではありません。弊社が懇意にしている「カギ足」アナリスト川上明氏の分析を中心に、さらには同氏が開発した自動売買判断システム「ＫＡＩ―解―」からの情報も取り入れ、短中長期すべてをカバーしたお勧めの取引（銘柄）をご紹介します。

構想から開発までに十数年を要した「ＫＡＩ」には、すでに多くの判断システムが組み込まれていますが、「ボロ株クラブ」ではその中から「Ｔ８」というシステムによる情報を取り入れています。Ｔ８の戦略を端的に説明しますと、「ある銘柄が急騰し、その後に反落、そしてさらにその後のリバウンド（反騰）を狙う」となります。

川上氏のより具体的な説明を加えましょう――「ある銘柄が急騰すると、利益確定に押され急落する局面が往々にしてあるが、出遅れ組の押し目が入りやすい。すなわち、急騰から反落の際には一度目の急騰の際に買い逃した投資家の買いが入りやすい」。過去の傾向からしても、およそ七割の確率でさらなるリバウンドが期待できるとのことです。そして、リバウンド相場は早く動くことが多いため、投資効率が良くデイトレーダーなどの個人投資家にとっては打って付けの戦略と言えます。川上氏は、生え抜きのエンジニアと一緒に一九九〇

～二〇一四年末までのデータを使ってパラメータ（変数）を決定し、二〇一五年一月四日～二〇二〇年五月二〇日までの期間で模擬売買しています。すると、勝率八割以上という成績になりました。一銘柄ごとの平均リターンは約五％強ですが、「ボロ株クラブ」では、「T８」の判断を元に複数の銘柄を取引することで目標年率二〇％以上を目指します。

これら情報を複合的に活用することで、年率四〇％も可能だと考えています。年会費も第二海援隊グループの会員の皆様にはそれぞれ割引サービスをご用意しております。詳しくは、お問い合わせ下さい。また、「ボロ株」の「時価総額や出来高が少ない」という性質上、無制限に会員様を募ることができません。一〇〇名を募集上限（第一次募集）とします。

■お問い合わせ先：㈱日本インベストメント・リサーチ「ボロ株クラブ」
TEL：〇三（三二九一）七二九一　FAX：〇三（三二九一）七二九二
Eメール：info@nihoninvest.co.jp

三　「日米成長株投資クラブ」

世界経済の潮流は、「低インフレ・低金利」から「高インフレ・高金利」に大きく様変わりしました。資産の防衛・運用においても、長期的なインフレ局面に則した考え方、取り組みが必要となります。

端的に言えば、インフレでは通貨価値が減少するため、現金や預金で資産を持つのは最悪手となります。リスクを取って、積極的な投資行動に打って出ることが極めて有効かつ重要となります。中でも、「株式投資」は誰にでも取り組みやすく、しかもやり方次第では非常に大きな成果を挙げ、資産を増大させることが可能です。

浅井隆は、インフレ時代の到来と株式投資の有効性に着目し、インフレトレンドが本格化する前の二〇一八年、「日米成長株投資クラブ」を立ち上げ、株式に関する情報提供、助言を行なってきました。クラブの狙いは、株式投資に特化しつつも経済トレンドの変化にも対応するという、他にはないユニークな情報を提供する点です。現代最高の投資家であるウォーレン・バフェット氏とジョージ・ソロス氏の投資哲学を参考として、割安な株、成長期待の高い株を見極め、じっくり保有するバフェット的発想と、経済トレンドを見据えた大局観の投資判断を行なって行くソロス的手法を両立することで、大激動を逆手に取り、「一〇年後に資産一〇倍」を目指します。

経済トレンド分析には、私が長年信頼するテクニカル分析の専門家、川上明氏による「カギ足分析」を主軸としつつ、長年多角的に経済トレンドの分析を行なってきた浅井隆の知見も融合して行きます。川上氏のチャート分析は極めて強力で、たとえば日経平均では三三年間で約七割の驚異的な勝率を叩き出しています。

また、個別銘柄については発足から二〇二三年一月までに延べ五〇銘柄程度を情報提供してきましたが、多くの銘柄で良好な成績を残し、会員の皆様に収益機会となる情報をお届けすることができました。これらの銘柄の中には、低位小型株から比較的大型のものまで含まれており、中には短期的に連日ストップ高を記録し数倍に大化けしたものもあります。

会員の皆様には、こうした情報を十分に活用していただき、当クラブにて大激動をチャンスに変えて大いに資産形成を成功させていただきたいと考えております。ぜひこの機会を逃さずにお問い合わせ下さい。サービス内容は以下の通りです。

1. 浅井隆、川上明氏（テクニカル分析専門家）が厳選する国内の有望銘柄の情報提供
2. 株価暴落の予兆を分析し、株式売却タイミングを速報
3. 日経平均先物、国債先物、為替先物の売り転換、買い転換タイミングを速報
4. バフェット的発想による、日米の超有望成長株銘柄を情報提供

詳しいお問い合わせは「㈱日本インベストメント・リサーチ」
TEL：〇三（三二九一）七二九一　FAX：〇三（三二九一）七二九二
Eメール：info@nihoninvest.co.jp

四 「オプション研究会」

二〇二二年二月、突如として勃発したロシアのウクライナ侵攻によって、冷戦終結から保たれてきた平和秩序は打ち破られ、世界はまったく新しい局面を迎えました。これから到来する時代は、「平和と繁栄」から「闘争と淘汰」という厳しいものになるかもしれません。そして、天文学的債務を抱える日本においては、財政破綻、徳政令、株価暴落といった経済パニックや、台湾有事など地政学的なリスク、さらには東南海地震や首都直下地震などの天災など、様々な激動に見舞われるでしょう。

もちろん、こうした激動の時代には大切な資産も大きなダメージを受けることになります。一見すると絶望的にも思われますが、実は考え方を変えれば「激動の時代＝千載一遇の投資のチャンス」にもなるのです。そして、それを実現するための極めて有効な投資の一つが「オプション取引」なのです。

「オプション取引」は、株式などの一般的な取引とは異なり、短期的な市場の動きに大きく反応し、元本の数十～一〇〇〇倍以上もの利益を生み出すこともあるものです。そうした大きな収益機会を、「買い建て」のみで取り組むことで、損失リスクを限定しながらつかむことができるのです。激動の時代には市場も大きく揺れ動き、「オプション取引」においても前述したような巨大な収益機会がたびたび生まれることになります。もちろん、市場が暴落した時のみならず、急落から一転して大反騰した時にもそうしたチャンスが発生し、それを活用することができます。市場の上げ、下げいずれもがチャンスとなるわけです。

「オプション取引」の重要なポイントを今一度まとめます。

・非常に短期（数日～一週間程度）で、数十倍～数百倍の利益を上げることも可能

・しかし、「買い建て」取引のみに限定すれば、損失は投資額に限定できる

・恐慌、国家破産などで市場が大荒れするほどに収益機会が広がる

・最低投資額は一〇〇〇円（取引手数料は別途）

・株やＦＸと異なり、注目すべき銘柄は基本的に「日経平均株価」の動きのみ

・給与や年金とは分離して課税される（税率約二〇％）

こうした極めて魅力的な特長を持つ「オプション取引」ですが、これを活用するにはオプションとその取引方法に習熟することが必須となります。オプションの知識習得と、パソコンやスマホによる取引操作の習熟が大きなカギですが、「オプション取引」はこれらの労を割くに値するだけの強力な「武器」になり得ます。

もし、これからの激動期を「オプション取引」で挑んでみたいとお考えであれば、第二海援隊グループがその習熟を「情報」と「助言」で強力に支援いたします。二〇一八年一〇月に発足した「オプション研究会」では、「オプション取引」はおろか株式投資など他の投資経験もないという方にも、道具の揃え方から基本知識の伝授、投資の心構え、市況変化に対する考え方や収益機会のとらえ方など、初歩的な事柄から実践に至るまで懇切丁寧に指導いたします。

また二〇二一年秋には収益獲得のための新たな戦略「三〇％複利戦法」を開発し、会員様への情報提供を開始しました。「オプション取引」は、大きな収益を得られる可能性がある反面、収益局面を当てるのが難しいという傾向がありますが、新戦略では利益率を抑える代わりに勝率を上げることを目指していきます。こうした戦略もうまく使うことで、「オプション取引」の面白さを実感していただけることでしょう。これからの「恐慌経由、国家破産」というピンチをチャンスに変えたい方のご入会を心よりお待ちしております。

※なお、オプション研究会のご入会には、「日米成長株投資クラブ」の会員であることが条件となります。また、ご入会時には当社規定に基づく審査があります。あらかじめご了承下さい。

「㈱日本インベストメント・リサーチ オプション研究会」担当 山内・稲垣・関

TEL：〇三（三二九一）七二九一　FAX：〇三（三二九一）七二九二

Eメール：info@nihoninvest.co.jp

◆「オプション取引」習熟への近道を知るための「セミナーDVD・CD」発売中

「オプション取引」の習熟を全面支援し、また取引に参考となる市況情報なども提供する「オプション研究会」。その概要を知ることができる「ＤＶＤ／ＣＤ」を用意しています。

■「オプション研究会 無料説明会 受講ＤＶＤ／ＣＤ」■

「オプション研究会 無料説明会」の模様を収録したＤＶＤ／ＣＤです。「浅井隆からのメッセージを直接聞いてみたい」「オプション研究会への理解を深めたい」という方は、ぜひご入手下さい。

「オプション研究会 無料説明会 受講ＤＶＤ／ＣＤ」（約一六〇分）

価格　ＤＶＤ　三〇〇〇円（送料込）／ＣＤ　二〇〇〇円（送料込）

※お申込み確認後、約一〇日で代金引換にてお届けいたします。

■以上、「オプション研究会」、ＤＶＤ／ＣＤに関するお問い合わせは、

㈱日本インベストメント・リサーチ「オプション研究会」担当：山内・稲垣・関

ＴＥＬ：〇三（三二九一）七二九一　ＦＡＸ：〇三（三二九一）七二九二

Ｅメール：info@nihoninvest.co.jp

「国家破産　資産シミュレーション」サービス開始

古今東西、あらゆる国家破産は、事実上国民の財産によって清算されてきました。まさに「国家破産とはすなわち国民破産」なのです。しかしながら、すべての国民の資産が国家破産によって無価値になり、あるいは国家に収奪されるわけではありません。破綻国家をつぶさに調べて行くと、価値が失われにくい資産がどのようなものかがはっきりと見えてきます。そうした情報を上手に使って、適切な対策を講じることで影響を少なくすることができるのです。

日本の財政危機は、コロナ禍による財政出動を通じてさらに加速し、いよいよ最終局面に突入しつつあります。資産防衛の対策を講じるために、残された時間はわずかと言えます。しかしながら、漠然と「個人財産が危機にさらされる」と言っても、実感がわかないのが率直なところでしょう。また、何から手を付ければよいのかも、なかなか見当が付かないことと思います。

そこで、第二海援隊一〇〇％子会社の「日本インベストメント・リサーチ」

にて、新たなサービスとなる「国家破産　資産シミュレーション」を開始いたしました。第二海援隊グループの二五年以上にわたる国家破産研究に基づいたノウハウを活用し、個々人の資産現況から国家破産時にどのような影響を受け、資産がどの程度ダメージを受けるのかのシミュレーションを算出いたします。

またご希望に応じて、「日本インベストメント・リサーチ」スタッフによるシミュレーションの詳細説明や、実行すべき資産防衛対策のご提案も行ないます。

◆「国家破産　資産シミュレーション」実施概要

実施期間：二〇二三年九月一日〜二〇二四年三月三一日（期間延長あり）
費用：二万円　（当社各クラブの会員様は別途割引あり）
〈シミュレーションの流れ〉
1. お客様の現在の資産状況をご提出いただきます。
2. 国家破産の状況を「最悪時」と「ソフトランディング時」に場合わけし、それぞれでお客様の資産がどのように変化するか、シミュレーション結果をお返しします。

3．合わせて、どのような対策に着手すべきかをご提案します。

4．ご希望に応じて、評価結果や対策について、スタッフが対面（または電話など）にて説明いたします。

注記：お預かりした資産関連の情報は、シミュレーション目的のみに使用し、またシミュレーション後は原則として情報を破棄します。

国家破産対策において重要なことは、まずは何より「現状を知ること」、そして次に「どの対策を講じるか」を定めることにあります。「国家破産 資産シミュレーション」は、その第一歩をより確かに踏み出す助けとなるでしょう。ぜひとも、奮ってご活用をご検討下さい。

■詳しいお問い合わせは「㈱日本インベストメント・リサーチ」

TEL：〇三（三二九一）七二九一　FAX：〇三（三二九一）七二九二

Eメール：info@nihoninvest.co.jp

◆浅井隆のナマの声が聞ける講演会

著者・浅井隆の講演会を開催いたします。二〇二四年は東京・一月一三日（土）、大阪・四月二六日（金）、名古屋・五月一〇日（金）、札幌・五月三一日（金）で予定しております。経済の最新情報をお伝えすると共に、生き残りの具体的な対策を詳しく、わかりやすく解説いたします。

活字では伝えることのできない、肉声による貴重な情報にご期待下さい。

■詳しいお問い合わせ先は、㈱第二海援隊

TEL：〇三（三二九一）六一〇六　FAX：〇三（三二九一）六九〇〇

Eメール：info@dainikaientai.co.jp

他にも第二海援隊独自の〝特別情報〟をご提供

◆「ダイヤモンド投資情報センター」

現物資産を持つことで資産保全を考える場合、小さくて軽いダイヤモンドは持ち運びも簡単で、大変有効な手段と言えます。近代画壇の巨匠・藤田嗣治は太平洋戦争後、混乱する世界を渡り歩く際、資産として持っていたダイヤモンドを絵の具のチューブに隠して持ち出し、渡航後の糧にしました。金《きん》（ゴールド）だけの資産防衛では不安という方は、ダイヤモンドを検討するのも一手でしょう。しかし、ダイヤモンドの場合、金《きん》とは違って公的な市場が存在せず、専門の鑑定士がダイヤモンドの品質をそれぞれ一点ずつ評価して値段が決まるため、売り買いは金《きん》に比べるとかなり難しいという事情があります。そのため、信頼できる専門家や取り扱い店と巡り合えるかが、ダイヤモンドでの資産保全の成否のわかれ目です。

そこで、信頼できるルートを確保し業者間価格の数割引という価格での購入が可能で、ＧＩＡ（米国宝石学会）の鑑定書付きという海外に持ち運んでも適正価格での売却が可能な条件を備えたダイヤモンドの売買ができる情報を提供いたします。

ご関心がある方は「ダイヤモンド投資情報センター」にお問い合わせ下さい。

■お問い合わせ先：㈱第二海援隊　TEL：〇三（三二九一）六一〇六　担当：大津

◆第二海援隊ホームページ

第二海援隊では様々な情報をインターネット上でも提供しております。詳しくは「第二海援隊ホームページ」をご覧下さい。私ども第二海援隊グループは、皆様の大切な財産を経済変動や国家破産から守り殖やすためのあらゆる情報提供とお手伝いを全力で行ないます。

また、浅井隆によるコラム「天国と地獄」を連載中です。経済を中心に長期的な視野に立って浅井隆の海外をはじめ現地生取材の様子をレポートするなど、独自の視点からオリジナリティあふれる内容をお届けします。

■ホームページアドレス： http://www.dainikaientai.co.jp/

第二海援隊
HPはこちら

今までにない唯一無二の会員制クラブ「投資の王様」へのお誘い

「投資の神様」ウォーレン・バフェットは、伝統的投資対象でありかつプロ・

アマを問わず非常に多くの投資家が取り組む株式投資において、数十年もの間トップを走り続けている伝説的な投資家です。

彼の投資哲学はいたってシンプルで、その投資技術も奇をてらったものではないのですが、しかし多くの人が彼のアイデアを模倣するものの、彼ほどの圧倒的な結果を残すには至っていません。逆に言えば、シンプルな投資哲学を誰よりも徹底して実践するからこそ圧倒的な結果を残し、唯一無二の「神様」と呼ばれるのかもしれません。

投資の世界は、誰もがバフェットのような大成功を収められるような甘い世界ではありません。しかし、誰かと競い、打ち勝ってナンバーワンとなることが必要な世界でもありません。また、人と比べたり、人より秀でたりすることも必要ありません。投資家（特に個人投資家）にとって本当に重要なことは、「投資の勝者」ではなく「投資の成功者」になることです。戦国の乱世のごとく日々勝負が繰り広げられる投資の世界において、勝ち残り続けて唯一無二の「殿上人」や「神様」になることは至難ですが、歴戦を生き残り「一国一城の主」すなわち「王様」であり続けることは可能です。そして、それが目指すべき「投資の成功者」のありようでもあります。「投資の成功者」とは、別の表現をするなら投資の乱世を生き残れる「投資の王様」になるということです。

二〇二〇年から三年強にわたった新型コロナウイルスの世界的流行と収束を通じて、世界はこれまでとはまったく異なるトレンドに突入しました。高インフレ・高金利、そしてロシアのウクライナ侵攻に代表される世界秩序の変貌と不確実性の高まりは、激動の時代を予感させるものであり、人々の不安を大いにかき立てるものです。しかしながら、実は投資を行なうにおいては、こうした不安な時代に生じる「変化の増大」こそ大いなるチャンスとなります。たとえ少ない軍資金からでも、大きな資産を築くことが相対的に容易となるためです。「投資の王様」を目指すのに、格好の時代が到来しつつあるのです。

では、いかにして「投資の王様」を目指すのがよいのでしょうか。投資には様々なスタイルがあり、人によって向き、不向きがあります。超短期から超長期まで取り組む時間軸も様々、さらに投資対象も株式から先物・オプション、債券、不動産、為替、海外ファンド、さらには現物資産まで実に多岐にわたります。それぞれの投資方法に特性や利点、さらに注意すべき点があり、得意とする局面や弱みなども異なってきます。

これらをすべて網羅し、自身に合った投資スタイルに基づいて適切なタイミングで投資を行なうことができれば、たとえ実際の投資回数がそれほど多くなくとも、十分に「投資の王様」になることはできるでしょう。ただ、それは容易な道ではありません。それぞれの投資のルールを覚え、取引のコツや技術、作戦を習得し、自分なりの勝ち方を確立するわけですから、一筋縄では行かないのは当然です。

そこで今回、本当に「投資の王様」を目指したい方に向けて、「第二海援隊グループ」の「日本インベストメント・リサーチ」が持てるノウハウを駆使し、さらに浅井隆の厳選情報も提供して「投資の王様」への道を全面的にサポートする、少人数限定の会員制クラブ『投資の王様』の発足を計画しました。その内容を一言で要約すると、「今までにない唯一無二の特別なクラブ」です。ここで簡単に概要を紹介します。

まず『投資の王様』の最大の特長は、今までにない丁寧できめ細やかなサービス提供にあります。投資助言経験および自身の投資経験も豊富な当社の専任スタッフが会員様お一人おひとりに付き、「専属トレーナー」あるいは「専属軍師」のように投資の成功への道をサポートします。今まで取り組んだことのない投資についても、基本的な知識から取引方法、テクニックに至るまで懇切丁寧に指導します。

また、助言対象も多岐にわたります。株式、不動産、為替、海外ファンドから現物資産や暗号通貨など最新の投資に至るまで、幅広い投資対象を活用して行きます。投資スタンスは、バフェットにならい長期投資を基本スタンスとします。数年に一度のような重要なタイミングに的を絞り、目先の小幅な利益ではなく長期的にしっかりとした利益を獲得することを目指します。ただ一方で、株価暴落などの相場急変局面では高確度の短期収益機会が到来することもあります。こうしたタイミングでは、機動性の高い投資戦術も活用し、収益の極大化を図って行きます。
さらに、不動産や金《きん》、ダイヤモンドといった、金融市場とは異なる値動きを見せる資産についても、その市場動向から中長期視点での耳寄り情報を提供します。そして、独自の相場観と投資に対する総合的な分析・判断力を養っていただくべく、浅井隆が経済に関する様々な注目情報をスマホ・アプリを通じてタイムリーに直接お届けするという、今までにないサービスも提供を予定しています。「自分なりの投資の成功を本気で目指したい」という方には、まさに打って付けのクラブになると自負しております。ご関心がおありの方は、ぜひとも『投資の王様』のご活用をご検討下さい。
詳しいお問い合わせは「㈱日本インベストメント・リサーチ」
ＴＥＬ：〇三（三二九一）七二九一　ＦＡＸ：〇三（三二九一）七二九二
Ｅメール：info@nihonivest.co.jp

〈参考文献〉

【新聞・通信社】

『日本経済新聞』『朝日新聞』『産経新聞』『毎日新聞』『静岡新聞』
『八重山日報』『ブルームバーグ』『ロイター』
『フィナンシャル・タイムズ』

【書籍】

『改訂版大国政治の悲劇 米中は必ず衝突する』
（ジョン・J・ミアシャイマー著　奥山真司訳　五月書房）
『財政学』（神野直彦著　有斐閣）
『インフレ課税と闘う！』（熊野英生著　集英社）

【拙著】

『2026 日本国破産〈対策編・上〉』（第二海援隊）
『日本は第２のウクライナとなるのか!?』（第二海援隊）
『2010 年の衝撃』（第二海援隊）
『浮かれる景気』（第二海援隊）
『完璧なる資産防衛』（第二海援隊）
『瞬間 30%の巨大インフレがもうすぐやってくる!!』（第二海援隊）
『日銀が破綻する日』（第二海援隊）
『なぜ、人は株で大損するのか』（第二海援隊）
『2025 年の大恐慌』（第二海援隊）
『恐慌と国家破産を大チャンスに変える！』（第二海援隊）

【その他】

『ＮＨＫテレビ』

【ホームページ】

フリー百科事典『ウィキペディア』
『内閣府』『外務省』『航空自衛隊 航空研究センター』『IMF』『BIS』
『日本記者クラブ』『ダイヤモンドオンライン』『東洋経済オンライン』
『週刊エコノミスト』『文春オンライン』『ジャパンビジネスプレス』
『ウォール・ストリート・ジャーナル』『フォーブス・ジャパン』『BBC』
『レコードチャイナ』『BS-TBS』『TBS News DIG』『GIGAZINE』
『日本総研』『現代新書』『コトバンク』『歴史まとめ .net』
『一般社団法人　平和政策研究所』『公益財団法人 日本国際問題研究所』

〈著者略歴〉

浅井　隆　（あさい　たかし）

経済ジャーナリスト。1954年東京都生まれ。学生時代から経済・社会問題に強い関心を持ち、早稲田大学政治経済学部在学中に環境問題研究会などを主宰。一方で学習塾の経営を手がけ学生ビジネスとして成功を収めるが、思うところあり、一転、海外放浪の旅に出る。帰国後、同校を中退し毎日新聞社に入社。写真記者として世界を股にかける過酷な勤務をこなす傍ら、経済の猛勉強に励みつつ独自の取材、執筆活動を展開する。現代日本の問題点、矛盾点に鋭いメスを入れる斬新な切り口は多数の月刊誌などで高い評価を受け、特に1990年東京株式市場暴落のナゾに迫る取材では一大センセーションを巻き起こす。
その後、バブル崩壊後の超円高や平成不況の長期化、金融機関の破綻など数々の経済予測を的中させてベストセラーを多発し、1994年に独立。1996年、従来にないまったく新しい形態の21世紀型情報商社「第二海援隊」を設立し、以後約20年、その経営に携わる一方、精力的に執筆・講演活動を続ける。
主な著書：『大不況サバイバル読本』『日本発、世界大恐慌！』（徳間書店）『95年の衝撃』（総合法令出版）『勝ち組の経済学』（小学館文庫）『次にくる波』（PHP研究所）『HuMan Destiny』（『9・11と金融危機はなぜ起きたか!?〈上〉〈下〉』英訳）『いよいよ政府があなたの財産を奪いにやってくる!?』『徴兵・核武装論〈上〉〈下〉』『最後のバブルそして金融崩壊『国家破産ベネズエラ突撃取材』『都銀、ゆうちょ、農林中金まで危ない!?』『巨大インフレと国家破産』『年金ゼロでやる老後設計』『ボロ株投資で年率40%も夢じゃない!!』『2030年までに日経平均10万円、そして大インフレ襲来!!』『コロナでついに国家破産』『老後資金枯渇』『2022年インフレ大襲来』『2026年日本国破産〈警告編〉〈あなたの身に何が起きるか編〉〈現地突撃レポート編〉〈対策編・上／下〉』『極東有事――あなたの町と家族が狙われている！』『オレが香港ドルを暴落させる　ドル/円は150円経由200円へ！』『巨大食糧危機とガソリン200円突破』『2025年の大恐慌』『1ドル＝200円時代がやってくる!!』『ドル建て金持ち、円建て貧乏』『20年ほったらかして1億円の老後資金を作ろう！』『投資の王様』『国家破産ではなく国民破産だ！〈上〉〈下〉』（第二海援隊）など多数。

2025年の衝撃〈上〉

2023年11月10日　初刷発行

著　者　浅井　隆
発行者　浅井　隆
発行所　株式会社　第二海援隊
〒101-0062
東京都千代田区神田駿河台2-5-1　住友不動産御茶ノ水ファーストビル8F
電話番号　03-3291-1821　　FAX番号　03-3291-1820

印刷・製本／株式会社シナノ

　ISBN978-4-86335-237-7

第二海援隊発足にあたって

日本は今、重大な転換期にさしかかっています。にもかかわらず、私たちはこの極東の島国の上で独りよがりのパラダイムにどっぷり浸かって、まだ太平の世を謳歌しています。

しかし、世界はもう動き始めています。その意味で、現在の日本はあまりにも「幕末」に似ているのです。ただ、今の日本人には幕末の日本人と比べて、決定的に欠けているものがあります。それこそ、志と理念です。現在の日本は世界一の債権大国（＝金持ち国家）に登り詰めはしましたが、人間の志と資質という点では、貧弱な国家になりはててしまいました。それこそが、最大の危機といえるかもしれません。

そこで私は「二十一世紀の海援隊」の必要性を是非提唱したいのです。今日本に必要なのは、技術でも資本でもありません。志をもって大変革を遂げることのできる人物と、それを支える情報です。まさに、情報こそ〝力〟なのです。そこで私は本物の情報を発信するための「総合情報商社」および「出版社」こそ、今の日本に最も必要と気付き、自らそれを興そうと決心したのです。

しかし、私一人の力では微力です。是非皆様の力をお貸しいただき、二十一世紀の日本のために少しでも前進できますようご支援、ご協力をお願い申し上げる次第です。

浅井　隆